Y JOBYN GORAU YN Y BYD

Y Jobyn Gorau yn y Byd

GARY SLAYMAKER

ISBN 086243 941 8
ISBN-13 978 0 86243 941 5

Mae'r cynllun Stori Sydyn yn fenter ar y
cyd rhwng yr Asiantaeth Sgiliau Sylfaenol a
Chyngor Llyfrau Cymru. Ariennir y llyfrau
gan yr Asiantaeth Sgiliau Sylfaenol fel rhan
o Strategaeth Genedlaethol Sgiliau Sylfaenol
Cymru ar ran Llywodraeth Cynulliad Cymru.

Argraffwyd a chyhoeddwyd gan
Y Lolfa, Talybont, Ceredigion SY24 5AP.
gwefan www.ylolfa.com
e-bost ylolfa@ylolfa.com
ffôn 01970 832 304
ffacs 832 782

1: GARY'N IFANC A'I FFILMIE CYNTAF

Dw I DDIM YN cofio'n iawn beth oedd y ffilm gynta i fi fwynhau ar y sgrin fawr. Ond dw i'n gwbod mai un o'r hen ffilmie arswyd oedd hi. *Frankenstein meets the Wolfman* mwy na thebyg. Roeddwn i tua wyth mlwydd oed. Codais i o'r gwely a mynd i lawr y stâr yn dawel bach un noson. Edryches i drwy gil drws yr ystafell fyw a gweld Boris Karloff ar y teledu. Roedd e'n rhuthro o gwmpas ac yn hala ofan ar bawb. Ac fe ges i ofan hefyd.

Nawr, yn ôl Mam, dangoses i ddiddordeb mewn ffilmie cyn gweld Boris Karloff ond dw i ddim wir yn cofio. Roedd y Victoria Hall, sef Neuadd y Dre yn Llambed, yn arfer dangos ffilmie yn y 60au. Ar un noson arbennig, dyma Mam yn penderfynu mynd â fi, Slaymaker bach, i weld *Bambi*.

Rhaid i fi gymryd gair Mam, achos, unwaith eto, dw i ddim yn cofio gweld y ffilm o gwbwl. Nid bod hynny'n syndod. Fe fuodd rhaid i Mam lusgo fi allan o'r neuadd yn sgrechen, am fod mam Bambi wedi cael ei lladd. Wel, dyna'r stori mae Mam yn hoffi ei hadrodd wrth y ford gino ar ddydd Nadolig.

Wedi cael y fath brofiad trawmatig o weld mam Bambi'n cael ei lladd, does dim syndod 'mod i wedi anghofio popeth am y ffilm. Ond y broblem yw bod 'na stori amdana i'n sgrechen ac yn cael fy llusgo o'r sinema wedi cael ei hadrodd wrth bawb yn y teulu. A dyma fi nawr yn rhannu'r stori gyda chi.

A dw i ddim yn eich nabod chi o gwbwl. Ble ma'n blydi sens i, dwedwch? Ta beth, bob Nadolig ers blynyddoedd, ma'r stori am Gary Slaymaker bach yn cael ei gario allan o'r sinema ar ganol ffilm *Bambi* yn cadw pawb o gwmpas y ford gino yn chwerthin. A bob blwyddyn mae rhaid i fi eistedd yno'n gwrando gyda chroen fy nhin ar fy nhalcen.

Ond, yn 1988, fe benderfynon nhw ddangos ffilm *Bambi*, y carw bach ciwt, unwaith eto. A dyma'r cyfle wedi dod i fi ddelio 'da'r broblem. Fe gerddais i mewn i sinema yng Nghaerdydd ac eistedd ynghanol y mamau, y tadau a'r plant i weld y ffilm. Fe welais i Bambi'n cael ei eni ac yn methu sefyll ar ei draed. Fe welais i Bambi'n dod yn ffrindiau gyda Thumper a Flower a rhai o'r lleill.

Ac yna fe newidiodd y gerddoriaeth. Roedd y goedwig yn edrych yn dywyllach ac yn fwy peryglus erbyn hyn. Ymddangosodd yr helwyr a gwnaeth Bambi a'i fam eu gorau i ffoi rhag y dynion drwg a'u drylliau. Rown i'n gallu clywed ambell i blentyn yn dechre crio'n dawel a rhywun yn dweud,

–*There, there dear. Everything's going to be fine. Honestly.*

–*No it bloody won't,* meddyliais i. Sut gallai'r twpsyn dwl ddweud y fath gelwydd wrth blentyn diniwed? Yffach gols, mae pobol sy'n byw yng nghanol fforestydd glaw'r Amazon yn gwbod beth fydd yn digwydd i fam Bambi! Mae bwled yn lladd! Erbyn hyn roedd y crio tawel o nghwmpas i'n codi'n uwch ac yn uwch.

Ac yna, fe ddaeth y foment erchyll. BANG! Un ergyd a mam Bambi'n cwmpo i'r llawr a'r carw bach yn gweiddi,

–*Mother!*

Damo, mae'n olygfa bwerus. Fe godais i ar fy nhraed a gweiddi,

–*Got the bitch!* ac roedd pawb yn y sinema yn gallu nghlywed i.

A dyna pryd dechreuodd y plant sgrechen o ddifri, a'r rhieni'n edrych arna i fel tasen i'n fab i Satan.

Roeddwn i wedi cael y peth allan o'n system. Codais i ac fe adewais y sinema. Roedd rhai o'r tadau'n fois mawr, ac roedd synnwyr cyffredin

7

yn dweud tasen i'n aros i weld diwedd y ffilm, bydden i wedi cael tipyn o grasfa.

Os roeddech chi'n digwydd bod yn un o'r plant yn y sinema y prynhawn hwnnw, wel sori. Ond fe ddysgoch chi wers bwysig y diwrnod hwnnw. Dyw bywyd ddim yn deg. Ac mae 'na wastad rhyw ffŵl cegog sy'n llwyddo i sbwylio'ch trip chi i'r sinema.

O'm rhan i, roedd gweld *Bambi* yn 1988 yn brofiad gwerthfawr. Safies i ffortiwn i fi'n hunan. Doedd dim rhaid i fi dalu biliau'r seiciatrydd unwaith i fi wynebu'r ofn. Ac wrth gwrs, fe basiais i'r ofn ymlaen i genhedlaeth newydd o blantos. Byth ers hynny does neb yn sôn am Bambi yn ein tŷ ni.

GARY, EI DAD A FFILMIE

Erbyn i fi gyrraedd fy arddegau, roedd mynd i'r pictiwrs yn rhywbeth i edrych ymlaen ato'n fawr, yn enwedig gan 'mod i a Nhad fel arfer yn mynd gyda'n gilydd. Draw i neuadd Aberaeron bydden ni'n mynd i weld ffilmie rhyfel. Roedd Dad yn ffan mawr o lyfrau Alistair Maclean. Diolch byth am hynny, neu fyddwn i ddim wedi cael y cyfle i weld *The Guns of Navarone* na *Where Eagles Dare* ar y sgrin fawr. Hyd yn oed heddiw, mae'r ddwy ffilm yna'n dal i gael eu dangos ar y teledu.

Ond, ar adegau arbennig, bydden ni i gyd yn mynd fel teulu lawr i Abertawe ar ddydd Sadwrn. Mam a'n chwaer yn mynd i siopa, a Dad a finne'n mynd draw i'r hen Castle Cinema i weld ffilm. Wrth edrych 'nôl, mae'n weddol glir bod Dad yn dipyn o foi ffilmie. Ei esgus e oedd ei fod e'n mynd i'r sinema i gadw cwmni i fi. Ond y gwir amdani oedd y galle fe ddewis y ffilmie roedd e ishe eu gweld, a mynd â fi gyda fe. Dim 'mod i'n cwyno, achos roedd dewis Dad yn 'spot on'. Felly, yn ystod y 70au cynnar buodd e a fi i weld *The Towering Inferno, Jaws* a *Diamonds are Forever*. Roedd Dad yn dipyn o ffan o ffilmie James Bond.

Ar un o'n *outings* i Abertawe fe aeth e â fi i weld ffilm sy wedi bod yn rhan bwysig o mywyd i, sef *Zulu*. I fachan deg mlwydd oed, roedd *Zulu*'n agoriad llygad achos dyma'r tro cynta erioed i fi weld bronnau noeth. (Dw i wedi gneud lan am hynny ers 'ny, cofiwch!) Hefyd, dyma'r tro cynta i fi sylwi ar gerddoriaeth mewn ffilm. Dw i'n cofio dod mas o'r sinema yn hymian y brif thema. Hyd yn oed heddi dw i'n barnu bod un o'r traciau sain gorau gan *Zulu*. Y cyfansoddwr oedd John Barry, a fe gyfansoddodd drac *You Only Live Twice*.

A synnwn i ddim mai *Zulu*, mewn ffordd ddigon rhyfedd, yw'r rheswm pam 'mod i'n cefnogi clwb pêl-droed Caerdydd. 'Men of Harlech', chi'n gweld, yw anthem swyddogol y tîm! A phan mae'r Bluebirds yn chwarae gartre, fersiwn *Zulu* o Gwŷr Harlech sy'n cael ei chwarae dros system sain y maes. Hon yw'r union fersiwn mae Ivor Emmanuel a'i gyfeillion yn canu wrth baratoi i wynebu miloedd ar filoedd o ryfelwyr du y ffilm. Nawr, mae mwy na chyd-ddigwyddiad fan hyn. Rhaid bod.

Yn 1977 roedd Dad ar ei ffordd lawr i Gaerdydd i weld Cymru'n chwarae Lloeger ar hen Barc yr Arfau, ac fe ges i gynnig mynd i'r gêm. Wel, roeddwn i ishe mynd i Gaerdydd, ond doedd dim diddordeb 'da fi yn y rygbi. Gwell i fi esbonio hyn.

Yn y 70au, roedd Cymru'n ennill yn erbyn pawb ar y maes rygbi. Felly, roedd gweld y Saeson yn cael crasfa arall ddim yn apelio ryw lawer. Ond, yn y sinema yng nghanol y ddinas, roedd ffilm fach o'r enw *Star Wars* a dyna lle roeddwn i'n bwriadu treulio'r prynhawn. Mae'n saff dweud oni bai i fi weld *Stars Wars* pan oeddwn i'n dair ar ddeg oed, fydden i ddim yn gneud y gwaith dw i'n ei wneud heddi. Yn yr olygfa agoriadol mae'r Star Destroyer anferth yn llenwi'r sgrin. I fi dyna'r siot agoriadol orau yn hanes y sinema. Fe gollais fy hunan yn llwyr ym myd Luke Skywalker.

Enillodd Cymru'r gêm rygbi, fel roedden nhw'n arfer gwneud yr adeg hynny, a neidies i a Dad i mewn i'r car a 'nôl â ni i Lambed. Am yr awr nesa, buodd rhaid i Dad, pŵr dab, wrando arna i'n siarad am y ffilm; yr olygfa agoriadol, pa mor cŵl oedd Han Solo, y defnydd o'r *lightsabres*, dinistrio'r Death Star ar ddiwedd y ffilm, ac wrth gwrs, y dyn drwg, y dihiryn gorau yn hanes y sinema, Darth Vader.

Fe wrandawodd Dad yn ddigon poléit, ond doedd e ddim yn hoff o *science fiction*. Rhyfedd hefyd, achos athro Cemeg oedd e. Falle bydde fe wedi mwynhau'r *science*, ond ddim y *fiction*.

Ar ôl hynny, fydde'r ddau ohonon ni ddim yn mynd i weld ffilm mor amal gyda'n gilydd. Erbyn canol yr arddegau roeddwn i'n hapus i fynd ar 'y mhen 'yn hunan i wylio unrhyw ffilm oedd yn digwydd bod yn y sinema. Ac mae hynny'n dal yn wir hyd heddi.

Wedi i fi ddechre gweithio yng Nghaerdydd, bydden i'n mynd gartre i Lambed am benwythnos, a bydde Dad a fi'n mynd am beint i dafarn y Ram, Cwmann. Yn ystod y noson bydde'r sgwrs weithie'n troi at ffilmie. Un noson fe wnaeth Dad sôn am un o'i hoff ffilmie fe, sef *Wages of Fear*, gan Henri-Georges Clouzot. Fe ddaeth y ffilm allan yn 1953 ac Yves Montand oedd y seren.

Mae'r stori'n gyffrous iawn. Criw o ddynion caled yn mynd â lorïau yn llawn o ddeinameit ar hyd lonydd ofnadwy o wael De America er mwyn diffodd tân mewn ffatri olew. Rhaid gyrru'r lorïau mor gyflym â phosibl. Ond mae'r deinameit yn hen ac mae'n chwysu. Nitro glycerine yw'r chwys sy'n dod o'r deinameit felly mae angen gofal mawr wrth gario'r llwyth. Dim ond rhyw saith mlynedd yn ôl des i o hyd i'r ffilm wych 'ma, ac fel Dad gynt, mae hon yn un o'n ffefrynnau i hefyd.

Fe fuodd Dad farw yn ddisymwth 'nôl yn 1999 a bydda i'n meddwl amdano fe'n amal, yn enwedig os bydd *Where Eagles Dare, Jaws*, neu *Zulu* ar y teledu. A hyd yn oed heddi, pan dw i'n eistedd mewn sinema ac yn gweld rhyw ffilm ryfel neu ffilm James Bond newydd bydda i'n meddwl,

–Diawl, dw i'n siŵr bydde Dad wedi joio hon.

Mae hyn yn ffordd berffaith i gofio amdano fe.

Y JOBYN GORAU YN Y BYD

Nawr, flynyddoedd yn ddiweddarach, fy ngwaith i yw trafod ffilmie ar radio, ar deledu ac mewn print. Jobyn grêt, 'yn dyw e? Wn i ddim faint o bobol sydd wedi dod ata i a dweud bod 'da fi'r 'jobyn gorau yn y byd'.

Cofiwch, alla i ddim dweud 'mod i bob amser yn cytuno gyda'r frawddeg 'na. Gallwch chi ddewis eich ffilmie chi. Mae'n rhaid i fi wylio popeth; comedïau o America gyda'u hiwmor gwahanol sy'n od i ni, ffilmie cartŵn ar gyfer plant sy'n symud lawer yn rhy gyflym a'r sain lawer yn rhy uchel, a ffilmie arswyd sydd jyst ddim yn codi ofn. Ond y gwaetha ohonyn nhw i gyd i fi yw'r *chick flick*. Ych! Sori pawb, ond mae 'na adegau pan na alla i ddim cytuno bod 'da fi'r jobyn gorau yn y byd.

A gan 'mod i'n byw a bod mewn sinemâu tywyll drwy gydol y flwyddyn, mae'n deg dweud bod gan Dracula well lliw ar ei groen na fi y rhan fwya o'r amser.

Ond, mae mwy o bethe positif nag o bethe negatif am y gwaith 'ma. Dw i ddim yn talu i weld ffilm a does dim rhaid i fi ddiodde pobol yn siarad yn y sinema. Yn well fyth, does dim rhaid i fi ddiodde pobol yn iwso'u blydi ffonau symudol. A gan 'mod i'n mwynhau'r hyn dw i'n ei wneud, dw i ddim yn ei ystyried e'n waith, beth bynnag.

Heblaw dweud bod 'da fi swydd ardderchog, y cwestiwn mae pobl yn gofyn i fi yw beth yw dy hoff ffilm di, Slaymaker. A bod yn deg, mae sawl un wedi gofyn pam nad ydw i erioed wedi adolygu ffilm porno. Ond, fel mae'n ffrind Dan yn dweud, 'Ti ddim yn gwylio porn. Ti'n ei iwso fe'.

I ateb y cwestiwn. Fy hoff ffilm i erioed, ac am byth bythoedd amen yw – *It's a Wonderful Life* gan Frank Capra. Mae'r dagrau'n llifo o'r eiliad gynta, a dw i'n llefen fel plentyn bach erbyn y diwedd. Rhaid ei gwylio hi adeg y Nadolig. Dyw gweld Jimmy Stewart yn rhedeg ar hyd stryd fawr Bedford Falls ddim yr un fath os ydw i'n gwylio'r ffilm ar ddiwrnod cynnes ym mis Awst.

Hefyd, rhag ofn eich bod chi'n gofyn rywbryd yn y dyfodol, dyma i chi lond dwrn o ffilmie sy'n golygu llawer i fi: *The Italian Job* (1969); *Seven Samurai; Enter the Dragon; A Matter of Life & Death; Dumb & Dumber; Rocky 1, II, III,* a *IV; The Straight Story* (David Lynch); *Twin Town; For a Few Dollars More; The Castle* (comedi o Awstralia) a *Die Hard.* Cofiwch, fe all y rhestr newid eto wythnos nesa, heblaw am yr *Italian Job* a *Seven Samurai.* Ychwanegwch y ffilmie dw i wedi eu henwi'n barod (heblaw am blydi *Bambi*), ac mae syniad da gyda chi pa ffilmie dw i'n eu hoffi. Ond fel dywedes i, oni bai am *Star Wars* fydden i ddim yma, yn ysgrifennu'r darn hwn.

Fe wnaeth un o'n ffrindie i, sydd ddim yn

or-hoff o ffilmie ffug-wyddonol, weld y *Star Wars* gwreiddiol, am y tro cynta, 'nôl yn 2005. Y munud y gorffennodd y ffilm fe gododd e'r ffôn,

–Slay? Gredi di byth, ond dw i newydd weld *Star Wars*.

–Whare teg. A beth o't ti'n feddwl o'r ffilm?

–Olreit, ond 'bach yn *far fetched*, cofia!

Allwch chi jyst ddim plesio rhai pobol, allwch chi?

2: NAWR 'TE, CHI YW'R CHEF AR SIANEL S4C, IFE?

ROWN I'N CYFLWYNO *SLAYMAKER* ar S4C ar y pryd. Er hynny, fe fydden i weithiau'n clywed rhywun yn gofyn y cwestiwn,

–Dudley Newbery, ife?

Pobol yn cymryd y piss? Na.

A bod yn onest, rhaid i sêr S4C gofio fod y person sy'n gadael tŷ Big Brother gynta yn fwy enwog na nhw. Ac, a bod yn onest unwaith eto, mae hyn yn dweud tipyn am statws 'sêr ein sianel'.

Meddyliwch fod gwylwyr S4C yn meddwl mai FI yw cogydd enwoca Ynysybwl – Dudley Newbery. Lwcus ein bod ni'n ffrindie. Ac os wyt ti'n darllen y geirie hyn, Dud, mae arnot ti sawl peint i fi. A'r rheswm? I dalu i FI am arwyddo dy enw DI ar dy lyfrau coginio di ar hyd a lled y wlad.

Rhaid dweud yn onest 'mod i wastod yn camsillafu enw Dudley pan fydd rhywun yn gofyn am lofnod. Os mai fi arwyddodd eich llyfr chi, fe welwch chi fod 'na ddwy 'y' yn Dudley. Wedyn, os ydy Dydley Newbery wedi anfon ei gofion at aelod o'ch teulu chi wel, y gwir yw, dyw e ddim wedi gwneud.

Mae'n od cael eich nabod fel person arall. Y tro cynta ces i enghraifft o fel mae pobol Cymru yn edrych ar y cyfryngau oedd 'nôl ar ddechrau'r 90au pan oeddwn i'n adolygu ffilmie ar y rhaglen *Heno*.

Rown i'n cerdded drwy Abertawe un amser cino, a dyma'r boi 'ma'n dod lan ata i. Wrth ei olwg e, byddwn i'n dweud ei fod e yn aelod o ryw *committee* clwb rygbi. Ro'dd y bathodyn RFC ar ei siaced yn 'bach o *giveaway* hefyd. Ta beth, fe welodd fi'n dod, a chamu mas o 'mlaen i, gan ddweud:

–Slaymaker, ife? Y bachan ffilms?

–Ie, 'na chi, atebes i'n ddigon cyfeillgar. Nawr roedd hyn 'nôl yn fy nyddiau cynnar i ar y teledu, ac roedd e'n syrpréis bach hyfryd bod rhywun yn nabod fi. Ta beth, unwaith ei fod e McNabs wedi fy nabod i, fe wedodd wedyn,

–Dw i'n falch bo fi wedi dy ddala di heddi. Wyt ti'n fodlon gwneud ffafr â fi? Wyt ti?

–Wel, iawn, os galla i.

–Pan fyddi di'n gweld Huw Ceredig heno, dwed wrtho fe bod Jim o Bontyberem yn cofio ato fe.

17

Nawr, erbyn hyn, dw i ddim yn siŵr ai Jim oedd enw'r bachan, ac ai o Bontyberem roedd e'n dod. Ond un peth oedd yn mynd drwy 'mhen i oedd,

–Pam ddiawl mae hwn yn meddwl 'mod i'n mynd i weld Huw Ceredig heno? Felly, fe ofynnes i'r union gwestiwn iddo fe. Yr ateb ges i o'dd,

–Wel, mae e mlan *straight* ar dy ôl di. Fe fyddi di'n gallu mynd ar y set drws nesa pan mae'r adverts yn chware, a rhoi'r neges iddo fe.

Yn ôl 'Jim', roedd rhaglenni S4C yn cael eu gwneud mewn un warws anferth lawr yng Nghaerdydd a phob set am y diwrnod drws nesa i'w gilydd. Dim ond mater wedyn o symud y camerâu ar draws y llawr ar ôl pob rhaglen oedd eisie, a bydde popeth yn symud yn esmwyth. Nawr, pwy oeddwn i i ddweud wrth y bachan 'ma bod ei theori fe'n hollol anghywir? A dweud y gwir, pe bai rhaglenni S4C yn cael eu gneud fel hyn, bydde fe'n arbed blydi ffortiwn. Er, dw i ddim yn siŵr. Beth am yr holl *super egos* 'na o dan yr un to?

Ta beth, yn hytrach na siomi 'Jim' fe ddwedes i y gwnawn i 'ngorau i roi'r neges i Huw. Cyn i fi fynd, gofynnes i, gyda gwên ar fy wyneb, oedd e hefyd ishe i fi roi neges i Dewi Llwyd a oedd yn darllen y newyddion. Byddai fe'n amal yn dod mewn i'r stiwdio'n gynnar tra bod *Pobol y Cwm* yn dal ar yr awyr.

Edrychodd 'Jim' yn syn arna i cyn ateb,

–Bachan uffarn, pam byddwn i'n rhoi neges i hwnna? Dw i'm yn nabod y ffycin boi!

A gyda hynny, fe gerddodd 'Jim Pontyberem' mas o mywyd i am byth. A chi'n gwbod, ar ôl yr holl halibalŵ, anghofies i roi ei neges e i Huw Ceredig yn y diwedd.

Dyw hi ddim yn rhywbeth newydd, o bell ffordd, i gael pobol ddieithr yn dod lan atoch chi ar y stryd a gofyn y cwestiynau rhyfedda.

Mae 'na stori glywes i am y ddeuawd canu enwog o orllewin Cymru, Jac a Wil. Roedd y ddau 'ma fel y Robson & Jerome yn ystod eu cyfnod nhw. Pe byddai 'na'r fath beth â *Pop Idol* neu *X–Factor* y dyddiau hynny, bydde Jac a Wil wedi ennill y brif wobr heb golli diferyn o chwys.

Ta beth, yn anffodus, fe fu farw Wil, ond aeth y brawd arall yn ei flaen. Rai blynyddoedd yn ddiweddarach, pan oedd Jac yn cerdded lawr un o brif strydoedd Aberystwyth, fe ddaeth 'na fenyw fach lan ato fe, a gofyn yn ddigon siarp,

–Gwedwch wrtho i nawr 'te. Chi neu'ch brawd yw'r un sydd wedi marw?

Does dim lot gallwch chi ddweud i ateb honna, oes e?

Sefyllfa ddim yn annhebyg i'r cwestiwn ofynnodd y gyflwynwraig Donna Air i aelodau grŵp, The Corrs, tair chwaer ac un brawd.

–*So how did you all get together then*?

Felly, yr hyn fydden i'n ei ddweud wrth bobl sy'n gobeithio cael ambell i dip ynglŷn â shwt mae mynd i mewn i'r cyfryngau yw, sdim ots pa mor ddwl ych chi'n meddwl ydyn nhw, y gwirionedd yw, maen *nhw* hyd yn oed yn ddwlach!

Ond dyw ymddygiad rhai o'n sêr ddim yn helpu chwaith. Dw i wedi bod mewn tafarnau/clybiau nos/nosweithiau agoriadol droeon a chlywed rhywun yn dweud y geiriau ofnadwy,

–Odych chi'n gwbod pwy ydw i?

'Se rhywun yn gofyn y cwestiwn yna i fi, mae'n siŵr mae'n ateb i fydde,

–Chi yw Dudley!

A falle bod hwnna'n rheswm da dros bido ymddwyn fel cwdyn hunanol.

Fe fues i mewn un dŵ eitha mawr rai blynyddoedd yn ôl yng nghanol Caerdydd. Wel, diawl, roedd y bar yn rhad ac am ddim, ac er 'mod i wedi cael fy ngeni yn Sir Gaerfyrddin, mi ges i'n magu yn Sir Geredigion. Ac fel bydda i'n hoff o esbonio ynglŷn â'r dylanwad hyn arna i, dw i wastod yn talu'n rownd – ond dw i jyst 'bach yn ara'n cyrraedd y bar.

Ta beth, roedd cwrw am ddim yn ormod o demtasiwn, a bant â fi i'r lansiad mawr ar gyfer rhyw gyfres neu'i gilydd. Dyna beth od nawr, alla i ddim cofio beth oedden nhw'n ei lansio, ond hyd heddi dw i'n cofio bron pob diod oedd yn cael ei gynnig am ddim.

Ta beth, roedd selébs S4C yn drwch ymhobman, a finne'n teimlo fel coc sbâr mewn orgy. Ond, yr atyniad o'dd noswaith tsiêp ar y pop – ac mae e'n syndod fel ma bachan yn gallu joio'i hunan.

Ar ôl rhyw awr neu ddwy o yfed, fe weles un o'n talentau benywaidd ni'n rhoi llond pen i ryw waiter bach anffodus. Roedd hi'n anodd peidio â sylwi ar yr olygfa, achos roedd gwisg 'madam' y noswaith honno'n edrych yn debyg i ffrwydrad mewn ffatri baent. Ac yn amlwg oedd rhywbeth wedi'i chynhyrfu hi.

Wel, fe symudes ychydig bach yn agosach i glywed beth oedd y broblem, ac wrth i fi ddod o fewn clyw i'r ddau, fe glywes i hi'n dweud,

–*Do you know who I am*?

Co ni off nawr, meddylies i fi'n hunan. Ond chware teg i'r waiter bach, fe edrychodd arni'n fanwl, o'i phen i'w sawdl, cyn dweud yn glir ac yn araf,

–*I have no idea who you are, Madam, but clearly you don't work in the fashion industry!*

Chwerthin? Dyna wnes i, ond fe gamodd my lady mas o'r stafell fel sa'i dillad isa hi ar dân. A dyna i chi wers arall bwysig ar shwt i fihafio, os ydych chi'n benderfynol o fod yn seren y cyfryngau.

Y STORI ORAU

Y stori orau sy 'da fi ynglŷn â bod yn enwog yng Nghymru yw'r adeg pan ges i wahoddiad i briodas fy ffrind, Gareth Morlais Williams, cynhyrchydd Radio Cymru ar y pryd. 'Nôl ynghanol y 90au ddigwyddodd hyn ac yn y Gog oedd y diwrnod mawr, gyda'r derbyniad, ar ôl y briodas, yn y Sportsman's Arms – lan uwchben Llansannan. Mae 'na arwydd tu fas i'r adeilad sy'n dweud, *the highest pub in Wales*. Roeddwn i bron â'u riporto nhw i'r Trading Standards achos doedd 'na ddim golwg yn unman eu bod nhw'n gwerthu marijuana yn y lle!

Trafaelais lan o Gaerdydd yng nghwmni'r darlledwr radio a theledu, Kevin Davies. Dw i a Kev wedi bod yn ffrindie ers blynyddoedd, ac yn joio yng nghwmni'n gilydd. Yn ystod y cyfnod hwnnw rown i'n dal i ennill fy nghyflog drwy siarad am ffilmie. Ond roedd Kevin yn gyflwynydd y rhaglen *Jacpot* ar y pryd, un o'r cwisiau mwya poblogaidd fuodd gan S4C.

Roedd hi'n ddiwrnod hyfryd, gyda'r briodas

yn mynd yn esmwyth a phawb mewn hwyliau ardderchog pan gyrhaeddon ni'r Sportsman's. Fe ddechreuodd y dathlu ac fe gariodd ymlaen ac ymlaen ac ymlaen.

Erbyn diwedd y prynhawn, roedd Kev a fi wedi sylwi ar gwpwl o ddynion oedd wedi bod yn cadw llygad barcud ar y ddau ohonon ni ers cwpwl o oriau. Roedd un yn fyr gyda dwylo fel rhofie, ac yn ôl ei wyneb bochgoch a'i siwt frethyn roedd hi'n weddol amlwg mai ffarmwr oedd e. Roedd y llall yn foi mawr ifanc dros ei chwe troedfedd weden i, ac yn cario tipyn o bwysau hefyd. Ond fe sylwon ni fod 'na olwg bell yn llyged y crwt. Yn fwy na hynny, roedd y ddau'n debyg iawn i'w gilydd o ran golwg. Fe gymres i'n ganiataol mai tad a mab oedden nhw. Ymlaen aeth y dathlu, a Kev a finne'n sgwrsio gyda'r gwesteion yn y briodas. Eto, roedden ni'n sylwi, drwy'r amser, fod y ddau foi 'ma, yn araf bach, yn dod yn agosach aton ni.

Yn y diwedd, dyma'r ffarmwr bach yn sefyll wrth ein hymyl, a'r mab rhyw gwpwl o droedfeddi tu ôl, a'i wyneb yn llac reit. Edrychodd y ffarmwr ar y ddau ohonon ni.

–Sut mae, hogia? Cael amsar braf heddiw 'ma?

–Odyn glei, atebon ni'n ddigon poléit.

–Nabod y priodfab, ia? Mae o yn y busnas

23

cyfrynga, dwi'n dallt.

–Ie. Dyna chi, medden ni, ac esbonio bod Gareth wedi cynhyrchu rhaglenni i'r ddau ohonon ni ac yn ffrind da hefyd.

–Ia, ia, wela i. Rŵan, dwi'n nabod chdi, Slaymaker ia?

–Ie, medde fi, ond y ffordd wedodd e'n enw i, oedd e'n swno mwy fel 'Sle-mec-yr'.

–Hogyn ffilms a ballu, yntê? Dw i'm yn dallt rhyw lawar am rheini, 'chi. Wel, dw i'n falch o'ch cyfarfod chi.

A gyda hynny, fe estynnodd ei bawen anferth ac ysgwyd 'yn llaw i'n gadarn. Diflannodd 'yn llaw i'n llwyr, ac wrth iddo fe ddod i ben gyda'r ysgwyd, fe dynnodd fi allan o'i ffordd, camu drwy'r gap, a sefyll yn syth o flaen Kev.

–Ond hwn dw i eisiau cyfarfod. Kevin Davies! *Jacpot!* Ia, Kevin? *Jacpot?*

Gwenodd Kevin ar y ffarmwr bach ac ysgwyd ei law. Edrychodd y ffarmwr dros ei ysgwydd tuag at y bachan ifanc, tywyll yr olwg, a dweud wedyn,

–Y mab sy acw, Kevin. Mae o'n ffan anfarth, 'wch chi. Yndi tad, meddwl y byd ohonoch chi. Byth yn eich colli chi ar y 'telifishon' ac yn gwrando arnach chi ar y 'weiarles' drwy'r adag. Ia. Ia wir. 'Di o'm yn iawn, 'chi!

Chi siŵr o fod wedi clywed storïau am bobol

sydd wedi cael pwl o chwerthin wrth yfed peint, a ffindo'r cwrw'n tasgu allan o'i drwyn. Wel, 'na'n gwmws beth ddigwyddodd i fi pan wedodd y boi bach y llinell ddiwetha 'na. Rown i'n sefyll ynghanol y bar, yn tagu ar fy mheint, a wnes i esgusodi'n hunan yn gyflym i drial riparo rywfaint ar y niwed. Ac am y chwarter awr nesa, rown i'n cuddio yn un o stalls y tai bach, yn ddagrau o chwerthin, ac wedi plygu'n ddwbl gyda'r boen oedd yn dod o'r chwerthin. Chwerthin oeddwn i mai dim ond rhywun 'ddim yn iawn' fydde'n gallu mwynhau rhaglen Kev.

Pan gyrhaeddais i 'nôl i'r bar, roedd Kev yn sefyll 'na ar ei ben ei hunan bach, a golwg mellt a tharanau ar ei wyneb. Edrychodd e arna i cyn gweud un gair bach tawel nath grynhoi'r profiad yn bert.

–Cont.

Nawr, ers hynny, dw i 'di clywed bod Kev hefyd yn adrodd y stori 'ma, ac yn dweud mai am 'yn rhaglen i ddywedodd y ffarmwr y geirie. Peidwch chi â chredu dim ma'r bygyr bach 'na'n ddweud wrthoch chi, achos oedd Kevin yn dipyn mwy o seléb na fi yn y dyddie hynny, a fe wnaeth dderbyn y clod ar y diwrnod.

Wedes i ar y pryd, a dw i'n dal i ddweud, mai dyna'r *backhanded compliment* gorau i fi erioed

25

ddod ar ei draws. Ac i ddyfynnu Max Boyce am eiliad, *I know, because I was there.*

Ers hynny, pan fydd un o wylwyr y sianel yn dod draw i ddweud helô, ac yn gofyn cwestiwn dwl, neu'n meddwl mai fi yw rhywun arall, bydda i'n gwenu'n siriol a chloncan yn braf 'da nhw. Wedi'r cyfan, dy'n nhw ddim yn iawn, 'chi!

3: CWRDD Â'R ARWYR

MA NHW'N DWEUD NA ddylech chi byth gwrdd â'ch arwyr, rhag ofan y byddan nhw'n eich siomi. Efallai fod gwirionedd yn y frawddeg 'na. Ond ddim i fi. Ma'r arwyr sydd gen i, y rhai dw i wedi eu cyfarfod, wedi bod hyd yn oed yn well na'r disgwyl.

Yn ystod y gyfres *Slaymaker*, un o ngwesteion oedd Gareth Edwards, y seren rygbi fwya yn hanes y gêm. Nawr, fel arfer, pan o'dd 'na westai yn dod i mewn i'r stiwdio do'dd neb yn gwneud rhyw lawer o ffŷs. Ond y bore pan ddaeth Mr Edwards i mewn, fe allech chi deimlo'r cyffro ymysg y criw ffilmio.

Ro'dd Gareth Edwards yn dod i mewn i chwarae gêm fideo arbennig, ac i drafod rygbi, wrth gwrs, a physgota, ac i roi'r byd yn ei le. Gêm fideo am bysgota oedd hi, ac yn hytrach na defnyddio *joypad*, ro'dd y cwmni wnaeth y gêm wedi creu gwialen bysgota arbennig.

Wrth lwc, ro'dd Gareth Edwards wrth ei fodd gyda'r gêm, ac fe fuodd rhaid i ni ddechrau ffilmio'n hwyrach na'r disgwyl, gan iddi fod bron yn amhosib cael y gêm allan o'i ddwylo. Ro'dd e gymaint wrth ei fodd 'da'r gêm nes ei fod e'n benderfynol o gael un fel anrheg Nadolig. Felly, mae'n bosib mai fi oedd yn gyfrifol am wneud y Nadolig hwnnw'n un eitha costus i deulu'r arwr rygbi.

O'r munud iddo gyrraedd tan y munud adawodd e, ro'dd e'n gyfeillgar, yn barod i gymryd rhan yn y dwli, ac yn fonheddwr heb ei ail. Os o'dd e'n arwr i mi cyn i fi gyfarfod ag e, ro'dd e hyd yn oed yn fwy o arwr ar ôl bod ar y sioe.

Dw i wedi cyfarfod â Gareth Edwards sawl gwaith ers hynny, mewn cinio a nosweithiau gwobrwyo, ac mae e wastod wedi dweud helô. Fel arfer rhywbeth fel,

–Shwt yt ti, Gary?

Ac fe fydda i'n ateb,

–Iawn diolch, Mr Edwards.

Ac wedyn bydd e'n dweud,

–Galwa fi'n Gareth, bachan.

A'n ateb i bob tro yw,

–Alla i ddim.

Ma 'da fi gymaint o barch at y dyn, bydde fe jyst yn teimlo'n anghywir ei alw fe'n 'Gareth'. Ydi hwnna'n swnio'n od, neu ife jyst fi yw e?

Fel un sy wedi bod yn casglu comics Americanaidd, *Spider-Man*, *Batman*, ac ati ers

28

pan own i'n wyth mlwydd oed, roedd cael y cyfle i gwrdd â'n arwr penna yn y byd yna, 'nôl ym 1990, yn un o ddyddie gorau mywyd i.

Ma Stan Lee yn enwog drwy'r byd comics fel y gŵr greodd *Spider-Man*, yr *Incredible Hulk*, y *Fantastic Four* a nifer o arwyr eraill tebyg. Mae'n saff i ddweud, heb Stan Lee, bydde'r byd comics heddi'n wahanol iawn ac yn llawer mwy diflas. Felly, pan es i allan i Efrog Newydd i recordio eitemau ar gyfer sioe radio *Rave* ar gyfer Radio Wales a Radio 5, rown i'n benderfynol o fynd i swyddfa Marvel Comics yng nghanol y ddinas, ac wrth gwrs, cwrdd â'r dyn mawr ei hun. Ro'dd pobol P.R. Marvel wedi dweud y cawn i ugain munud yng nghwmni Stan. Ond yn y diwedd fe fues i'n siarad gyda'r dyn am awr. Ro'dd e'n fachan doniol, clyfar, yn llawn hwyl, ac yn ddigon parod i dynnu coes. Fe atebodd e bob un o'r cwestiynau, y rhai twp a'r rhai personol ofynnes iddo fe, heb unwaith golli'i amynedd. Erbyn diwedd y sesiwn, ro'dd hyd yn oed fy nghynhyrchydd, Kerry, wedi syrthio mewn cariad 'da'r dyn. Fel dwedodd hi, wrth i ni adael yr adeilad,

–Oh my god, I want to have his babies!

O ystyried bod Stan yn ei 60au hwyr y pryd hynny, a Kerry newydd droi 30, dw i'n credu bydde Mr Lee wedi bod yn eitha hapus o wbod ei fod e'n dal i allu creu'r fath argraff ar fenywod. Bron na allech chi 'i alw fe'n Hugh Hefner y byd *superheroes*.

Ar ddiwedd y dydd, rown i wedi cael fy arwain o gwmpas pob twll a chornel o swyddfeydd Marvel. Mi ges gwrdd â Chris Claremont oedd ar y pryd yn gyfrifol am sgrifennu *y* comic mwya poblogaidd yn y byd, yr *X-Men*. Bryd hynny ro'dd dros ddwy filiwn o gopïau'r mis yn cael eu gwerthu. Fe ges hefyd gyfle i weld y llun cynta erioed o gymeriad y Punisher, dan ei enw gwreiddiol, sef *The Angel of Death*. Sori am droi'n *geek* llwyr, ond ma'r Punisher wedi bod yn ffefryn ers yr 80au. Felly, i fi, ro'dd gweld y llun cynta ohono fe yn debyg i rywun yn dweud iddyn nhw fod yn gìg gynta'r Rolling Stones neu'r Beatles.

Pan ffarweliodd Stan â ni fe ddwedodd wrtho i am helpu'n hunan i unrhyw gomics oedd i'w gweld o gwmpas y swyddfa. Fel un gafodd ei godi ymysg Cardis, do'dd ddim angen gofyn dwywaith. Fe lanwes sach gyfan a llwyddes i gael Stan i arwyddo'i enw ar ddau gopi o *Spider-Man* ac un copi o *Daredevil*.

Ma rhai'n dal gyda fi, wedi eu cloi'n saff, rhag ofan y bydd dwylo bach sticky yn gwneud llanast ohonyn nhw. Ryw ddydd, falle y gwertha i nhw ar E-Bay neu rywle tebyg. Eto dw i'n amau hynny'n fawr iawn; maen nhw'n golygu gormod i fi.

I brofi gymaint o feddwl s'da fi o Stan Lee, dw i'n cofio cael fy holi ar raglen radio sawl blwyddyn 'nôl bellach, a'r holwr yn gofyn a own i'n credu mewn Duw. Atebais yn syth:

–Credu ynddo fe? Diawl, ma 'da fi ddau gopi o *Spider-Man* wedi eu harwyddo gan y bachan!

Pan own i'n grwt bach, ar ambell i ddydd Sadwrn, bydden i'n mynd am ddiwrnod at Mam-gu a Tad-cu lan yng Nghwmann. Ro'dd y Sadyrnau 'na'n rhai bydden i'n edrych 'mlan atyn nhw drwy'r wythnos. Bydde Mam-gu'n sbwylio fi'n rhacs drwy goginio *beans & chips*, ac wedyn pwdin reis. Ond am bedwar o'r gloch y prynhawn, ro'dd popeth yn dod i stop. Dyna pryd bydde Mam-gu a finne'n eistedd o flaen y teledu, ac yn clywed y geiriau hudol 'na,

–*Good afternoon, grapple fans, this is Kent Walton and welcome to wrestling from Dulwich!*

Am dri chwarter awr, bydden ni'n istedd 'na yn gwylio bois mawr tew yn bwrw'i gilydd. Ond dim ond hanner yr hwyl o'dd gwylio'r reslo. Ro'dd yr hanner arall yn dod o weld Mam-gu'n mynd yn wyllt pan o'dd rhyw lowt fel Giant Haystacks yn pigo ar ryw reslwr bach arall, a'i wasgu'n fflat.

Fe gethon ni noson o reslo yn neuadd Victoria, Llambed, flynyddoedd yn ôl. Fe aeth Mam-gu a fi yno'r noson honno, hi'n talu i'r ddau ohonon ni eistedd yn y *ringside seats*. Nawr, i'r sawl sy'n cofio gwylio'r reslo ar *World of Sport* ers talwm, weithiau pan o'dd un o'r dynion drwg yn cael ei daflu allan o'r sgwâr, bydde tair neu bedair o hen fenywod bach yn dechre'i fwrw fe gyda'u bagiau, neu ymbarél. Wel, o'dd Mam-gu yn un o rheina. Y noson buon ni'n dau i weld y reslo, y brif ffeit o'dd rhwng Les Kellet a rhyw foi mawr blewog oedd yn galw'i hunan The Wild Man of Borneo. Wel, ar un pwynt fe hedfanodd Borneo allan o'r sgwâr a glanio reit o'n blaenau ni, a dw i'n addo i chi bod hyn yn wir. Fe dynnodd Mam-gu bìn anferth allan o'i bag, a'i hwpo fe reit mewn i ben-ôl yr iob. Os o'dd e'n *wild man* pan gyrhaeddodd e'r sgwâr, ro'dd e hyd yn oed yn fwy gwyllt pan deimlodd e'r boen yn ei din!

Ar ddechrau'r 80au fe ddechreuodd *World of Sport* ddangos reslo o'r America am y tro cynta, a dyna pryd des i'n ffan anferth o'r gamp. Bron dros nos, fe golles i bob diddordeb mewn gwylio reslo Prydeinig, gyda dynion tew chwyslyd yn symud yn ara deg o gwmpas y sgwâr. Unwaith y gweles i fois fel Macho Man Randy Savage a Ricky Steamboat yn hedfan drwy'r awyr, yn neidio dros y rhaffau ac yn symud fel mellt, ro'dd y syniad o edrych ar lwmpyn di-glem fel Big Daddy yn brofiad digon diflas.

Yn y WWF, fel ro'dd World Wrestling Entertainment yn cael ei nabod bryd hynny, ro'dd y clatsho gorau'n digwydd rhwng y tag teams. Bryd hynny, ro'dd 'na dimoedd lliwgar fel The Hart Foundation, The British Bulldogs, The Can-Am Connection a'r Killer Bees yn gwneud symudiadau anhygoel o fewn y sgwâr reslo. Dim rhyfedd 'mod i wedi bod yn dilyn reslo Americanaidd byth oddi ar hynny.

Ond pan ddechreuais i wylio reslo o'r UDA, ro'dd 'na un enw o'dd yn fwy na phawb arall o fewn y busnes. Mae e'n dal yn enw mawr hyd heddiw. Hulk Hogan! Ac ma hyn yn dod â fi'n deidi 'nôl at thema'r bennod, sef cwrdd â fy arwyr i.

Ar ddechrau'r 90au, pan own i'n gweithio ar raglen *Heno*, fe ges gyfle i fynd lan i Lundain i gyfarfod â'r Hulkster. Ar y pryd ro'dd y rhaglen yn cynnig gwobrau i'r gwylwyr er mwyn codi arian ar gyfer apêl S4C y flwyddyn honno. Felly, ro'dd 'na gyfle i ddau berson lwcus fynd gyda fi i Lundain i gwrdd â reslwr enwoca'r blaned. Dau fachgen bach o ardal Abertawe enillodd y wobr, ac ar y bore pan oedden ni i gyd yn dala'r trên i Lundain, dw i ddim yn gwbod pwy o'dd wedi cynhyrfu fwya, y bois bach neu fi.

Cyrraedd Llundain, ac wedyn cael tacsi draw i'r gwesty lle bydden ni'n cwrdd â'r Hulk. Rodd y menywod PR yn gwneud y ffŷs ryfedda o'r bechgyn, ac roedden nhw'n neidio lan a lawr yn ddwl, yn disgwyl gweld eu harwr. Agorodd un o'r menywod PR ddrws i stafell arall, a wnethon ni gyd weld Hogan yn sefyll 'na yn ei ddillad reslo coch a melyn. Ro'dd y bois bron â chwmpo ar eu pen-olau mewn sioc.

Troies i at ein dyn sain, Richard, a dweud,

–Boi mawr, Rich.

–Ma hwnna siŵr o fod yn bwyta'i Weetabix i gyd, medde Rich.

–A'i steroids hefyd, wedes i, gyda gwên fach slei ar fy ngwyneb. Erbyn hyn ro'dd Hogan wedi camu i mewn i'r stafell, ond gan fod 'y nghefen i tuag at y drws, down i ddim wedi sylwi. Wedyn dyma Rich yn dechre siarad yn Saesneg.

–*Reckon you could 'ave him then, Gar?*

–*Aye, no problem*, meddwn i'n llawer rhy uchel. *Those muscles? It's all cosmetic anyway, innit? Put him in a scrum and see how he'd bloody cope then.*

A dyna pryd y daeth y llaw anferth 'ma ar fy ysgwydd, a'r llais dwfwn yn dweud,

–*Cosmetic? Don't think these arms are strong enough, eh, brother?*

34

A gyda hynny fe wasgodd Hogan ei law i mewn i'n ysgwydd i. Blydi hel, ro'dd grip y cythrel 'da'r dyn. Tries i 'ngorau i wenu, ond ro'dd hi'n amlwg mai golwg o boen o'dd ar fy wyneb. Ro'dd Rich yn sefyll yn y gornel yn chwerthin yn dawel. Y diawl!

–Only joking, Mr Hogan. Just having a laugh with the boys, you know.

–You sure now, dude?

Ac fe wasgodd fy ysgwydd unwaith eto jyst er mwyn gwneud yn siŵr ei fod e wedi gwneud ei bwynt. Ac wedyn fe dynnodd ei law bant a gwenu.

–I'm just messing with you kid, OK?

Erbyn hynny, ro'dd Hulk wedi sylwi ar y bechgyn, ac fe aeth draw i ysgwyd llaw a chael clonc. Am y chwarter awr nesa fe wnaeth Hogan roi ei holl sylw i'r bechgyn, ateb eu cwestiynau, llofnodi a thynnu lluniau. Ro'dd e'n fwy na jyst proffesiynol, ro'dd e'n fonheddwr.

Pan orffennon ni'r sgwrs a'r cyfarfod, ro'dd gan bob un ohonon ni barch newydd tuag at yr Hulkster. Seren mor fawr a dim sôn am ego yn perthyn i'r gŵr. A dw i'n siwr nad yw'r bois bach 'na (wel, maen nhw dros eu deunaw erbyn hyn), erioed wedi anghofio'r diwrnod hwnnw. O leia dw i heb. A phan wela i Hogan ar raglenni WWE y dyddie hyn, dw i'n falch o wybod i fi ga'l y cyfle i'w gyfarfod. Ond rhyngoch chi a fi,

–I reckon I could 'ave 'im!

Ond peidwch â dweud hynny wrtho fe, plîs.

Dros y blynyddoedd ma sawl actor Cymraeg wedi llwyddo ar y sgrin fawr. Richard Burton i ddechrau, ac wedyn Anthony Hopkins, wrth gwrs. Dw i'n cofio bod allan yn Efrog Newydd ym 1991 wedi i Hopkins ddod yn enwog yn chwarae Hannibal 'the cannibal' Lecter yn y ffilm, *The Silence of the Lambs*. Rown i'n eistedd mewn bar, yn siarad 'da criw o ddynion busnes, a rheina'n gofyn o ble rown i'n dod.

–Cymru meddwn i, a dyma nhw'n gofyn o'dd unrhyw un enwog wedi dod o Gymru. Wel, ma Anthony Hopkins yn Gymro, atebais i. Ryw ffordd neu'i gilydd, 'nath y bois 'ma gael y syniad yn eu pennau 'mod i'n nabod Anthony Hopkins. Wel, down i ddim ishe'u siomi nhw, felly 'nes i ddechrau rhaffu celwyddau am y ffaith ma fi nath berswadio Anthony i gymryd rhan Lecter. A 'nes i ddim talu am ddiod drwy'r nos. Ac ma pobol yn barnu bod dweud celwydd yn beth gwael!! Neu ... ddim yn talu!!

Yn dilyn Burton a Hopkins, ma 'da ni sawl seren ifanc sydd wedi dod i'r amlwg yn y blynyddoedd diwetha, Catherine Zeta Jones,

Matthew Rhys, a Ioan Gruffudd yn benna. Ond, yn 'y marn i , ma 'da un seren arall fwy o dalent na'r tri dw i newydd eu henwi. A Rhys Ifans yw hwnnw. Ers ei ddyddie cynnar ar S4C, dw i 'di bod wrth fy modd yn gweld talent a gyrfa Rhys yn datblygu. Erbyn hyn, dw i'n falch o ddweud ei fod e'n ffrind, ond mae e hefyd yn arwr.

Meddyliwch am ffilm lle mae Rhys ond wedi bod ar y sgrin am bum munud. Ar ddiwedd y ffilm, yr hyn sy'n aros yn eich cof yw perfformiad Rhys. Nawr i fi, ma hwnna'n arwydd o dalent anferth. Ac nid yn unig yr actio sy'n gwneud Rhys yn gymeriad mor arbennig. Pan ych chi yn ei gwmni, mae e jyst yn un o'r bois sy'n llawn hwyl. Mae e'n galler adrodd storïau sydd yn gwneud i chi bisho'ch hunan yn chwerthin. Mae e i weld yn gysurus yng nghwmni unrhyw un, ac mae ei natur hyfryd yn denu pobol tuag ato. Ro'dd hyn i'w weld yn amlwg pan own i a Iorwerth, fy nghyfarwyddwr, yn ei gwmni am rai diwrnodau yn Los Angeles yn 2001.

Ffilmio eitemau ar gyfer y gyfres o *Slaymaker* o'dd y ddau ohonon ni, a digwydd ffindio bod Rhys yno'n barod. Galwon ni'r gwesty i ddweud helô, ac fe wahoddodd Rhys ni draw i ginio y diwrnod wedyn. Codi'r bore wedyn a gwneud 'bach o ffilmio, cyn mynd draw i'r gwesty pum seren anferth yng nghanol Beverley Hills. Wel, ro'dd maes parcio'r lle 'ma'n edrych yn fwy crand na'n nhŷ i. Rown i a Iorwerth mewn jîns a chrys-T yn edrych braidd yn anniben yr olwg o ystyried ein bod yn cerdded i mewn i'r fath balas a phawb arall mewn siwtiau costus. Ta beth, i mewn i'r lobi, a gofyn am gael siarad â Rhys Ifans, neu Reese Eye-vans, fel ro'dd staff y gwesty'n ei alw fe. Cethon ni wbod fod Rhys yn y bar, ac i mewn â ni i chwilio am y boi. Do'dd dim angen chwilio'n hir, achos clywon ni'r llais ma'n galw o ochor draw'r ystafell,

–Duw, sut 'dach chi, lats?

Cerddodd Rhys tuag aton ni gyda gwên ar ei wyneb, a photelaid o win yn ei law. Ro'dd e mewn crys-T llawn tyllau, gwaelod tracsiwt a phâr o fflip-fflops am ei draed. Yn sydyn reit, do'dd Ior na fi ddim yn teimlo mor shabi. Fe ffindion ni fwrdd yn yr awyr iach, ac fe dreulion ni'r prynhawn yng nghwmni Rhys. Wrth lwc, ro'dd ein camera wedi torri'r bore hynny, felly o'dd hi'n fater o down twîls am weddill y diwrnod, a bant â ni ar y pop!

Yn ystod y dydd ro'dd Rhys yn gwneud ei orau i weld a alle fe ffindio un o'i ffrindiau i ddod allan i chwarae. Galwodd Ozzy Osbourne yn gynta. Ro'dd y ddau wedi dod yn ffrindiau adeg ffilmio comedi Adam Sandler, *Little Nicky*. Ond yn anffodus, ro'dd Ozzy yn Efrog Newydd.

Trueni mawr, achos bydden ni'n dau wedi dwlu cael sesiwn gyda Rhys a Ozzy. Ar ôl hynny, dyma fe'n ffonio Lucy Liu, un o'r Charlie's Angels wrth gwrs. Ond do'dd hi ddim yn rhy keen ar fod yr unig ferch yng nghwmni tri piss-head o Gymru. Ro'dd Ior yn arbennig o ypset, ac fe wnaeth e fegian ar Rhys i alw Lucy eto, ac eto, ac eto. Erbyn y bedwaredd alwad, ro'dd hi, a Rhys, wedi cael llond bol, ac fe gollon ni'r cyfle i fod yng nghwmni Ms Liu. A Rhys yn gorffen yr alwad fel hyn,

–*Listen, Lucy, you don't have to talk to the boys. All they want is a fuckin good look at you.*

Wel, rown i'n wherthin fel ffŵl ar ôl clywed hynny. Beth wnaeth pethau hyd yn oed yn fwy doniol oedd yr olwg ar wyneb Ior. Gallech ddweud fod Rhys wedi disgrifio ni'n dau fel hen ddynion budur. Wel, bron â bod. Wedyn, do'dd 'na ddim gobaith i Iorwerth gael cwrdd â hi. Ac ro'dd Ior yn ffan mawr, mawr o Lucy Liu.

Aeth y diwrnod yn ei flaen gyda mwy o yfed, mwy o dynnu coes, a mwy o storïau dwl a difyr. Dw i'n dal yn ffindio hi'n od meddwl bod 'na dri ohonon ni'n eistedd yn gysurus rownd bord, yn cloncan yn Gymraeg ynghanol un o westai mwya crand Los Angeles. Jiw, ma'r byd yn mynd yn llai bob dydd.

Wrth iddi ddechrau nosi, dyma Rhys yn

penderfynu bydde fe'n syniad da i ni i gyd fynd allan *on the town*. Aeth i'w stafell i newid tra bod Ior a finnau'n ca'l diod neu ddau arall. Pan ddaeth Rhys 'nôl ro'dd e wedi trefnu cwpwl o lefydd fydde'n gadael ni i mewn. A bant â ni, yn teimlo fel real VIPs.

Wrth godi o'n seddi i adael y bar mawr crand, pwy ddaeth i mewn drwy'r drws ond Morgan Freeman. Nawr, dw i 'di bod yn edmygwr mawr o waith Freeman ers blynyddoedd. *Se7en, The Shawshank Redemption, Driving Miss Daisy, Nurse Betty*... Ma urddas tawel y dyn yn bob un o'i ffilmie. Mae e'n un o'r actorion 'na allwch chi ddim tynnu'ch sylw oddi arno fe. Ta beth, wrth i'r tri ohonon ni gerdded am y lobi, fe sylwodd Morgan arnon ni, gwenu, a dweud,

–Hi, Rhys.

Cŵl, neu beth? Ac fe atebodd Rhys, yn Gymraeg,

–Duw, sut mae, Morgan?

Ac fe ddwedodd yr enw 'Morgan' fel pe bai'n siarad gyda ffermwr cefen gwlad, yn hytrach na seren Hollywood. Gwenodd Freeman, ond gyda golwg 'bach yn syn ar ei wyneb. Ior aeth heibio i'r actor nesa a dweud,

–Sut dach chi, Morgan?

Ac fe nodiodd Freeman ei ben yn gyfeillgar. Fi oedd y trydydd i fynd heibio i'r seren, ac wrth gwrs, ro'dd rhaid i fi wneud rhywbeth tebyg. Felly, fe winciais a dweud,

–Shwt mae'n hongian, Morgan?

Eto, gwenu mewn 'bach o benbleth wnaeth Morgan. Rown i ar fin cyrraedd y lobi erbyn hyn, ond allen i ddim gadael y gwesty heb ddweud rhywbeth mwy na helô wrth Morgan Freeman. Felly fe droies yn ôl, a dweud 'tho'r actor dawnus,

–*Sorry to bother you, Mr Freeman, but I just wanted to say, without you, Seven would have been a Six!*

Diolch byth, chwerthodd Morgan Freeman a dweud,

–*Well thank you, young man. That's very kind.*

Cyn 'mod i'n cael cyfle i ddweud unrhyw beth arall, fe glywais lais Rhys yn codi o'r lobi,

–*You'll have to excuse him, Morgan. He's from Lampeter, you know!*

Edrychais allan i'r lobi a gweld Rhys a Iorwerth yn chwerthin yn braf. A chi'n gwbod, yr unig beth o'dd yn mynd drwy 'mhen i ar y pryd oedd bod *cheek* y diawl gan Rhys i weiddi yr hyn wnaeth e. Wedi'r cyfan, ma'r bygyr yn gwbod yn iawn 'mod i'n dod o Gwmann!!

4: WEL, MAE E'N WELL NA GWEITHO

FE FUES I'N CYFLWYNO'R sioe *Slaymaker* ar S4C am chwe blynedd a rhai'n dweud,

–Ond ma'r oriau'n hir.

–Mae trafaelu lan a lawr o'r de i'r gogledd yn flinedig.

Bydden i'n rhoi'r un ateb bob tro,

–Wel, mae e'n well na gweitho!

Ac ro'dd e hefyd. Yn ystod y sioe fe ges i deithio i America, cael cyfle i roi'n hoff obsesiynau i ar y sgrin fach, a chwrdd â phobol rown i wedi eu hedmygu ers blynyddoedd. Gyda fi oedd y *casting vote* pwy fydde'n cael ei ddewis fel gwesteion ar bob cyfres.

Ro'dd y rhaglen wastod yn rhedeg yn esmwyth, dim angen setiau mawr crand, ac fel fi ro'dd y sioe yn *low maintenance* ond yn annwyl iawn. Un o'r rhesymau penna am lwyddiant y sioe oedd ein cyfarwyddwr, Iorwerth Jones. Er mawr dristwch fe fu farw Ior yn ddisymwth ar ddechrau Awst 2006, a dwi wedi gweld ei ishe fe'n ofnadwy bob dydd ers 'ny.

42

Am flynyddoedd bydde'r ddau ohonon ni'n trafaelu ar hyd a lled Cymru. Pellach na 'ny hyd yn oed, draw i'r UDA, ac yn cael amser wrth ein boddau. Ro'dd hi'n anodd peido â chael hwyl yng nghwmni Ior achos ro'dd e jyst yn un o'r bois mwya difyr a doniol dw i erioed wedi ei gyfarfod. Bydde ond rhaid i chi hala muned yng nghwmni Ior a bydde popeth yn iawn am weddill y dydd.

Ro'dd y ddau ohonon ni'n ffans anferth o ffilmie. Un ffilm o'dd yn agos i frig ein siart bersonol oedd comedi Robert De Niro, *Midnight Run*. Yn y ffilm, ma De Niro'n chwarae rhyw fath o *bounty hunter* sy'n cael y gwaith o ddod ag acowntant y Mafia o Los Angeles 'nôl i Efrog Newydd. Ond gan fod y boi'n ofan hedfan, mae'n rhaid i De Niro fynd yr holl ffordd ar hyd UDA ar y trên neu mewn car. Dw i'n esbonio hyn gan fod un o olygfeydd y ffilm yn dangos Charles Grodin, yr acowntant, yn cael panic attack anferth ar jet.

Pan fydden i a Ior yn trafaelu ar awyren bydde fe'n hoff o actio'r olygfa yma, jyst er mwyn gwneud i'r teithwyr eraill deimlo'n nerfus. Alla i ddim cofio faint o weithie bues i'n eistedd wrth ochor Ior, yn chwerthin fel ffŵl, tra oedd e'n dweud, yn llawer rhy uchel,

–*These things go down! They crash! They're not*

supposed to fly! These things go down!

Nawr, os nad ych chi'n hoff o hedfan yn y lle cynta, dyw cael boi gwyllt yr olwg o Lanrwst yn siarad fel hyn ddim yn llawer o help i'ch nerfau chi.

Dim ond unwaith buodd yn rhaid i Ior ddweud sori am ei hiwmor dwl. Ro'dd y ddau ohonon ni ar awyren i Gaeredin i wneud ychydig bach o ffilmio, ac fe ddechreuodd MacNabs ar ei araith. A finne'n cuddio'n wyneb mewn cylchgrawn fel bod neb yn galler fy ngweld i'n chwerthin fel idiot. Tu ôl i ni ro'dd 'na dair menyw ganol oed, yn amlwg yn mynd am ddiwrnod o siopa. Beth oedd hyd yn oed yn fwy amlwg o'dd y ffaith nad oedd y tair erioed wedi bod ar awyren o'r blaen. Ro'dd yr olwg ar eu gwynebau nhw wrth i Ior ddechrau parablu yn bictiwr. Yn y diwedd buodd rhaid i fi dynnu sylw Iorwerth at yr effaith ro'dd e'n ei greu ar y tair. Fe droiodd yn ei sedd, gyda gwên, a dweud wrth y gwragedd,

–*Sorry ladies. Don't mind me, just kidding.* (eiliad o saib) *But these things do go down, you know.*

Adeg arall, rown i a Ior yn mynd lan i'r gogledd gydag un arall o dîm cynhyrchu *Slaymaker*, merch yn ei hugeiniau cynnar. Fel arfer, pan fydden ni'n dau yn cymryd y 'wagan' (ein term ni am y Renault Espace oedd gan y cwmni), bydden ni wastod yn dod â CDs i chwarae yn ystod y daith. Wrth lwc, ro'dd 'na chwaeth gerddorol eang 'da'r ddau ohonon ni, ac wrth i'r 'wagan' weithio'i ffordd drwy'r wlad, do'dd dim dal pa sŵn fydde'n dod allan trwy'r ffenestri. Rap Sbaeneg, Elvis, traciau sain ffilmie, Techno Almaeneg, y Beatles, AC/DC, a'n ffefrynnau ni'n dau, Y Cyrff, y grŵp roc gorau yn hanes yr iaith Gymraeg. Peidwch chi â gwrando ar unrhyw un sy'n dweud yn wahanol!

Ar gyfer y siwrne hon, ro'dd y ddau ohonon ni wedi mynd am y 'clasuron', goreuon y Smiths, y Clash, a'r Pogues. Nawr, dyna i chi drac sain i fynd ar siwrne o Gaerdydd i Lanrwst. Ta beth, ryw hanner awr ar ôl cychwyn, a llais Morrisey'n codi allan o'r speakers, fe glywon ni sŵn madam o'r sedd gefn,

– Pwy 'di rhain?

A dyma roi gwers gyflym, ond cyflawn, am y Smiths a Morrisey a Johnny Marr.

Newidiodd y CD ar bwys Llanelwedd ac fe ddechreuodd Joe Strummer ganu. Unwaith eto, fe ddaeth y llais o'r cefn yn gofyn,

– A pwy 'di rhain 'te?

Ro'dd llai o amynedd 'da'r ddau ohonon ni'r tro hyn. Dyma'r grŵp pync gorau i gerdded y ddaear. 'Nethon ni ddim hyd yn oed sôn am

Big Audio Dynamite, a Joe Strummer & the Mescaleros. Y peth o'dd yn mynd drwy ein pennau ni'n dau oedd, beth ddiawl maen nhw'n ei ddysgu i blant heddi am roc a rôl?

Ar ôl Dolgellau, fe ddechreuodd llais Shane McGowan grafu'i ffordd drwy'r car, ac rown i'n galler clywed Madam yn aflonyddu yn y sedd tu cefen. Ond cyn i fi agor fy ngheg, dyma Ior yn gweud,

–Os gofynni di pwy 'di rhain, dwi'n stopio'r car, a mi gei di blydi cerdded.

Nawr, bydde unrhyw un gyda'r owns lleia o synnwyr wedi cau ei cheg. Ond y peth nesa glywes i oedd,

–Iawn. Ond o ddifri, pwy ydi rhain?

Rhoiodd Ior ei droed ar y brec mor sydyn, ro'n i bron â hedfan allan o'n sedd. Wrth i fi droi tuag ato fe, ro'dd e'n barod yn rhoi llond pen i'n ffrind yn y cefn.

–Allan! Dos! Blydi hel!

Ro'dd hi fel clywed Mr Picton o *C'mon Midffild* yn cael haint, ac eto ro'dd y ddau ohonon ni'n cael hi'n anodd cadw gwynebau syth. Er mawr syndod i'r ddau ohonon ni, fe agorodd 'Miledi' y drws a chamu allan o'r car. Edrychodd Ior arna i cyn dweud,

–Amdani ta, Slay! Ia?

Rhuthrodd y 'wagan' lawr y ffordd a rownd

y gornel, gan adael ein hymchwilydd ar ochor yr hewl. Wrth gwrs, wedi i ni fynd rownd y gornel, fe arhoson ni am gwpwl o funudau, cyn rifyrsio'r car a mynd 'nôl i bigo madam lan. Yn amlwg do'dd hi heb ddysgu dim o'r profiad, achos rai munudau ar ôl i ni ailddechrau ar y daith, dyma hi'n dweud yn uchel,

–Ok, dwi ddim yn nabod eich grwpiau chi. Ond dim ond twenti-tw dw i. Gawn ni chwarae un o'n CDs i ar y ffordd 'nôl?

–Be sy 'da ti? gofynnais iddi'n weddol siarp.

–CD newydd Sophie Ellis Bextor, medde hi.

Ro'dd amseru'r ddau air nesa'n berffaith. Bron fel tase Ior a finne wedi bod yn ymarfer nhw ers misoedd. 'Nath y ddau ohonon ni droi, ei gwynebu hi, a dweud yn glir ac yn araf,

–Ffyc off!

Yn amal pan fydden ni'n ffilmio yn y gogledd, bydden ni'n aros yn Llanrwst. Ro'dd Ior yn galler aros yn nhŷ ei fam a Liz a finne wedyn yn cael lle yng ngwesty'r Eryrod yng nghanol y dre. Cwmpes i mewn cariad â Llanrwst y tro cynta es i yno. Mae'n debyg iawn i Lambed. Tre Gymreig yng nghanol ardal amaethyddol gyda siopau bach yn llawn o Gymry cyfeillgar a thomen o dafarndai yn ei chanol hi. Fe dreulies i a Ior nosweithie yn yr Albion yng nghwmni'r

47

tafarnwr, Slim, ac ro'dd 'na wastod groeso yn y dre i hwntw, neu 'sowthyn', fel fi.

Dw i'n cofio'r noson aeth Ior a fi draw i'r Red Lion, yr ail dro i fi fod yn Llanrwst. Tafarn y ffermwyr oedd y Red, a hefyd hon oedd cartre clwb rygbi Nant Conwy. Cyn i ni gamu drwy'r drysau, dyma Iorwerth yn troi ata i a dweud,

–Nawr, jyst i dy rybuddio di. Naill ai byddi di'n iawn mewn fan hyn neu bydd rhywun yn cynnig mynd â ti allan am ffeit o fewn y pum munud nesa. Iawn? Tyrd yn dy flaen ta, Slay.

Wel, o leia rown i'n gwbod beth i'w ddisgwyl nawr. Wrth gerdded i mewn i'r dafarn fe glywais lais, ynghanol criw o fois lleol, yn dweud,

–Blydi hel, Slaymaker? Be wyt ti'n da yma?

Er mwyn trial rhoi gwên ar wyneb y criw oedd yn eistedd wrth y bwrdd, fe wedes i,

–Torrodd y Ferrari lawr jyst tu fas i'r dre, wedyn dw i'n aros yn Llanrwst heno.

Edrychodd un ffarmwr ar y llall cyn dweud,

–Ferrari? 'Na chdi, mi ddudais i bod y diawlad S4C 'ma'n ennill llawer gormod o ffwcin bres! Duw, Iorwerth, hwn sy efo chdi?

Aeth Iorwerth draw at y bois gan ddweud ma aros dros nos rown i, cyn ffilmio yn yr ardal fore trannoeth. Dyma wahoddiad i'r ddau ohonon ni eistedd gyda'r bois. Ac am yr oriau nesa buon ni'n rhannu storïau a jôcs ac yn canu caneuon oddi ar y juke box. Fe brynodd y bois beint i fi ac fe brynes i gwrw iddyn nhw.

Dyma un arall o'r gwersi pwysica ddysges i gan fy nhad. Os bydd rhywun yn prynu peint i ti, gwna'n siŵr bod 'na arian 'da ti i brynu un 'nôl! Ac ma'r cyngor 'na wedi achub 'y nghroen i sawl gwaith dros y blynyddoedd.

Wrth i ni ffarwelio â'r bois y noswaith 'ny a cherdded yn sigledig am y drws ffrynt, fe wnaeth y dafarnwraig gydio yn fy mraich i a dweud yn dawel,

–Dim ond un person arall sy wedi cael croeso fel yna gan yr hogia, a Dai Jones Llanilar oedd hwnnw.

Wel, sôn am eisin ar y gacen! Os own i'n cael fy ystyried yn yr un cwmni dethol â Dai Llanilar, ein 'trysor cenedlaethol', ro'dd rhaid 'mod i wedi gneud rhywbeth yn iawn. Dw i 'di bod 'nôl yn y Red sawl gwaith ers hynny, ac ma'r croeso'n dal yr un fath. Ac erbyn hyn dw i hefyd yn cadw llygad ar y papurau Sul i weld shwt ma tîm Nant Conwy'n gneud yn eu gêmau rygbi. On'd yw e'n od fel ma tafarn yn galler creu'r fath argraff arnoch chi?

Un arall o arwyr tîm *Slaymaker* oedd Dai Lloyd. Fe ddaeth Dai i weithio ar y sioe yn ystod y ddwy flynedd ddiwetha, ac fe ddaethon ni'n ffrindie da yn go glou. Hyd yn oed heddi, dw i'n ei ystyried e fel un o nghyfeillion gorau. Ma Dai yn fachan tawel, diffwdan, ond y munud mae e tu ôl i olwyn car, mae e'n troi yn Mad Max. Ac i fi, does dim byd mwy doniol na gweld person o natur dawel yn troi'n ddyn dwl ar fyr rybudd. Ond y peth dw i wastod wedi ei edmygu am Dai yw'r ffordd mae e'n galler delio 'da problemau heb ffwdan, yn amal mewn ffordd hollol wreiddiol.

Dw i'n cofio fe a fi a'n cyfarwyddwraig newydd ni, Lleucu, yn gweithio ym Mangor, ac yn aros y noson honno yn y Vic, Porthaethwy. Ar ôl glanio yn y Vic, fe benderfynodd y tri ohonon ni fynd am gwpwl o beints i Fangor Ucha. Wel, aeth hi'n noson arall hir a hwyliog, gydag ambell fyfyriwr yn dod draw i dynnu coes. Do'dd e ddim o fawr help bod pennod ddiweddara *Slaymaker* ar y teledu yn un o'r tafarnau lle buon ni'n yfed. Ro'dd 'na ambell un yn methu cweit â deall shwt own i ar y teledu ac yn y dafarn ar yr un pryd! A ma David Blaine yn barnu ei fod e'n dipyn o magician?

Fe adawon ni'r dafarn tua hanner awr wedi un ar ddeg y nos, a nawr ro'dd angen cael tacsi 'nôl i Borthaethwy. Whare teg, ro'dd Dai wedi bod yn paratoi'n barod, ac ro'dd 'da fe rif sawl cwmni tacsi lleol yn ei boced. Yn anffodus, do'dd 'na ddim car ar gael am o leia awr, ac er ma ond yr ochor draw i'r Fenai ro'dd y gwesty, ro'dd 'na dipyn o ffordd i gerdded. Yn sydyn dyma Dai yn dweud,

–Arhoswch fan hyn am funud. Ma 'da fi syniad.

A bant ag e ar draws y ffordd, a diflannu rownd y gornel. Deg munud yn ddiweddarach ro'dd e 'nôl, gyda gwên slei ar ei wyneb.

–Reit. Dw i 'di trefnu lifft i ni gyd. Ond bydd rhaid i chi brynu pizza.

Fe esboniodd Dai ei fod wedi mynd rownd y gornel i siop *takeaway* o'dd yn arbenigo mewn pizzas. Nid yn unig allech chi fynd i mewn i ordro'ch bwyd, ro'n nhw hefyd yn cynnig mynd â'r pryd at eich drws ffrynt – *home delivery* mewn geiriau eraill. A dyma lle gaeth Dai'r syniad gwych o ordro pizza i'w anfon i westy'r Vic ym Mhorthaethwy. Wedyn, ro'dd e mor ddienaid â gofyn a oedd 'na le i dri yn y car oedd yn cario'r bwyd, er mwyn arbed aros am dacsi. Whare teg, 'na'r esiampl orau o *thinking outside the box* dw i erioed 'di dod ar ei draws e. Cofiwch chi, se'r ferch tu ôl i'r cownter wedi dweud ma moto-beic oedd yn mynd â'r bwyd, bydde'r tri ohonon ni wedi bod yn bygyrd. Ond ro'dd yn werth gweld yr olwg ar wyneb y boi bach ddaeth i nôl y pizza yn ei Ford Fiesta. Yna gweld y tri ohonon ni'n sefyll 'na'n gwenu'n gyfeillgar ac yn cydio mewn *half meat half vegetarian thin crust*! Fe gyrhaeddon ni'r Vic ymhell cyn i unrhyw dacsi ddod i'r golwg. A beth oedd hyd yn oed yn well, ro'dd ein swper 'da ni'n barod cyn i ni groesi stepen drws ffrynt y gwesty. Fel dwedodd Hannibal Smith yn yr A-Team ers talwm,

   –I love it when a plan comes together.

Yn ystod un o gyfresi *Slaymaker* fe fues i'n holi'r actores Sharon Morgan. Ma Sharon yn wyneb cyfarwydd i wylwyr teledu yng Nghymru, ac wedi cymryd rhan mewn dramâu fel *Belonging, Heliwr, Gadael Lenin, Pobol y Cwm*, ac wrth gwrs hi o'dd y flonden secsi o Baris yn y gomedi rygbi enwog, *Grand Slam*.

   Pan fues i'n siarad gyda hi, ro'dd hi ar fin dechrau gwaith ar addasiad Cymraeg o'r sioe lwyfan, *The Vagina Monologues*. Ar y pryd dw i'n cofio hi'n dweud ei bod hi'n becso ychydig am y ffaith fod 'na ddim digon o eiriau Cymraeg ar gael am y gair *vagina* a gan fod y gair arbennig 'na yn nheitl y darn, ro'dd hyn yn creu tipyn o benbleth. Wrth lwc, dw i'n eitha prowd o'r ffaith 'mod i wedi dod o hyd i lwythi o eiriau rhegi yn y Gymraeg fyddech chi byth ishe'u hadrodd o flaen eich mam-gu.

   Dw i'n cofio bod yn westai ar sioe deledu y

seren rygbi Jonathan Davies, rai blynyddoedd yn ôl. Ro'dd yr ymchwilwyr wedi deall hyn. Felly sylw Jonathan ar y sioe oedd,

–Dw i'n clywed bod ti Gary'n dipyn o arbenigwr ar regi?

–Ffycin hel, ydw! atebais i'n gyflym.

Wel, pan wedodd Sharon ei bod hi'n cael hi'n anodd dod o hyd i dermau Cymraeg am *vagina,* rown i'n fwy na hapus i helpu'r achos. Am y bum muned nesa wnes i raffu llwyth o eiriau o wahanol ardaloedd o Gymru, termau am ddarnau mwya preifat menyw. Chi'n gwbod, dw i'n weddol siŵr bod Sharon yn hynod o *impressed* 'da ngwybodaeth i am y pwnc. I weud y gwir, gallwn i fod wedi dewis hwnna fel y *specialist subject* pan gymres i ran mewn rhifyn arbennig o *Mastermind* adeg Nadolig 2006.

Daeth y sgwrs i ben a diolches i Sharon am fod ar y rhaglen, ac fe ddiolchodd hi i fi am y geiriau newydd ro'dd hi wedi eu dysgu. Ryw bythefnos yn ddiweddarach, rown i'n cerdded drwy ganol Caerdydd, croesi ardal yr Hayes, fel mae'n digwydd, pan glywes y ffôn symudol yn canu yn fy mhoced. Sharon Morgan. Ar ôl dweud helô a shw mae, dyma Sharon yn sôn am y rheswm ro'dd hi wedi rhoi caniad. Mae'n debyg iddi anghofio'r holl eiriau rown i wedi eu rhoi iddi. Fydde ots 'da fi fynd drwyddyn nhw eto er mwyn iddi hi gael eu rhoi nhw ar bapur. Dim problem. Ac wrth sefyll tu fas i Habitat, fe es drwy'r rhestr unwaith yn rhagor.

–Reit te. Yn ardal Llambed byddet ti'n gweud ffwrch. Lawr tuag at Aberteifi, ma'r gair shinani'n cael ei ddefnyddio. O gwmpas Rhydaman a Cross Hands, dw i 'di clywed y gair shobet neu fobet! Yng Nghlwyd, ma nhw'n dweud flewjan. Ar Ynys Môn ma gyda ti ffwffwmsan, ac wrth gwrs os ei di i Gaernarfon, ma pawb yn dy alw di'n cont!

Jiw, rown i'n browd o'n hunan am gofio'r fath eiriau, ac fe wnaeth Sharon ddiolch eto i fi am fy help. Rhoies y ffôn 'nôl yn fy mhoced, a throi i fynd am y farchnad. Wrth droi, fe welais griw o fenywod, rhai yn ganol oed a rhai yn henach, yn sefyll 'na'n edrych yn syn arna i. Feddyliais i ddim am y peth nes bod un o'r gwragedd yn dweud,

–Helô, shwt 'ych chi heddi?

Rown i newydd adrodd rhai o'r geirie mwya mochedd dw i'n wbod, reit o fewn clyw criw o fenywod y WI o'dd wedi dod lawr o orllewin Cymru am ddiwrnod o siopa. Fel fydda i'n hoff o ddweud,

– Allech chi ddim ysgrifennu comedi cystal â 'na tasech chi'n trial.

Yn anffodus, do'dd rhai o'r gwragedd ddim

yn meddwl ryw lawer o'n iaith i, ac fe ges wbod hynny gan ambell un. Blydi hel! Ac rown i'n meddwl 'mod i'n galler rhegi. O gymharu â merched y WI rown i'n amatur llwyr.

5: GWELD SÊR

I UNRHYW UN SY'N ffan mawr o ffilmie, yr unig le byddech chi'n dymuno cael bod yw allan yn Hollywood, adeg yr Osgars, a 'nôl yn 2000, fe fues i'n ddigon ffodus o gael y cyfle 'na.

Mynd allan gyda chriw'r rhaglen *Heno* wnes i, fel arbenigwr ffilm. Olreit, peidwch chwerthin. Y flwyddyn honno, ro'dd *Solomon a Gaenor* wedi cael ei henwebu am Oscar fel y ffilm orau mewn iaith dramor, neu *best foreign language film category*, i chi a fi. Ro'dd sawl un o siwtiau S4C wedi gwneud y daith. Hefyd ro'dd nifer o gast y ffilm wedi mynd allan. Ro'dd ein criw ffilmio ni'n rhuthro o gwmpas Los Angeles yn cael blas ar buzz y ddinas, yn mwynhau'r cyffro.

Emyr Penlan oedd y prif gyflwynydd. Mae e nawr yn cyflwyno *Ralïo* ar S4C. Rown i wedyn yn gwneud ambell bwt nawr ac yn y man. Rown i'n trial dangos 'mod i'n deall rhywbeth am ffilmie.

FFILMIO RODEO DRIVE
Ar y diwrnod cynta fe fuon ni'n ffilmio ar Rodeo

Drive. Nawr, wrth gwrs, ma'r Americanwyr yn ei alw fe'n 'Roe-day-oh Drive'. Ond ro'dd yn well 'da fi gadw at y Saesneg cywir. Wedyn buodd ambell un o bobol yr ardal yn cwyno, a trial cywiro'n ffordd i o ddweud enw'r lle. Ond fel wedais i ar y pryd,

–Well of course it's Rodeo, not Roe–day–oh. I mean you don't put your VHS in a vid-ay-oh, and listen to music on a ster-ay-oh, do you?!

Dyna'r broblem 'da'r Americanwyr. Dros 200 mlynedd yn ôl, fe halon ni nhw bant i ochor draw'r byd, bob un a gafael go dda 'da nhw ar yr iaith Saesneg. Drychwch beth ma nhw wedi gwneud iddi. Maen nhw wedi manglo'r geiriau'n llwyr, a chynnig iaith gwbwl lletchwith a shabi yn ei lle hi.

Wrth lwc, ro'dd trigolion yr ardal yn amau ma tynnu coes ro'n i, ac ro'dd pawb yn ddigon neis tuag aton ni. Wrth fynd ar hyd y Drive, ro'dd Emyr yn holi pobol oedden nhw wedi clywed am Gymru. Fel rown i'n disgwyl, do'dd 'na neb yn gwbod rhyw lawer am ein gwlad fach ni. Yna 'naethon ni gwrdd â phâr canol oed, 'nath weud:

–Oh we love Wales. We have some good friends in Aberystwyth, and we're hoping to go and visit them this year.

Unwaith eto, mae e'n profi bod y byd yn

mynd yn llai ac yn llai bob dydd.

Ar ôl diwrnod allan ar Rodeo Drive, fe dreulion ni'r noson mewn bar, rhyw chwarter milltir o'r gwesty lle rown i'n aros. Fe es i'n wyllt 'da polisi'r dafarn ynglŷn â smygu ac yfed. O'dd hi'n iawn i chi gal peint yn y bar, ond allech chi ddim cynnu sigarét. Os oeddech chi angen ffag, ro'dd rhaid mynd tu fas – a fan hyn es i'n ddwl – o' chi ddim yn ca'l mynd â'r cwrw mas gyda chi. Wel, do'dd dim byd i wneud ond mynd mewn a mas drwy'r nos, a mwmblan dan fy ana'l, o bryd i'w gilydd, am *bloody health Nazis*.

SUL YR OSGARS

Fe dda'th bore Sul yr Osgars yn ddigon cyflym, a bach iawn o Los Angeles welon ni. Do'dd yr un ohonon ni'n becso rhyw lawer am hynny. Yr unig beth pwysig i ni ynglŷn â'r daith o'dd bod ynghanol yr *Academy Awards*. Fe wnaeth Emyr a fi gwrdd ar ôl brecwast yn ein siwtiau. Ro'dd hynny'n rhan o reolau'r Academi. Ro'dd yn rhaid i unrhyw un o'dd yn mynd i fod yn rhan o'r Ŵyl, wisgo tuxedo. Ro'dd 'na ddisgwyl i'r menwod wisgo ffrogiau smart, ond penderfynais i ac Emyr ma siwt fyddai orau i ni'n dau, yn hytrach na ffrog. Wel, do'dd 'da'r un ohonon ni goesau digon da i gael *get away* gyda gwisgo un o wisgoedd Versace, na Gaultier.

Am ddeg o'r gloch ar y bore Sul, ro'dd Emyr yn edrych yn wych yn ei siwt – wel, mae e'n fachan tal a golygus ac yn gyn-fodel. Wedyn o'dd e bownd o edrych yn dda mewn dici bow. Fi ar y llaw arall – wel, dyw'r haul a fi ddim yn cytuno, ac o fewn awr i gyrraedd tu allan i'r Shrine Auditorium, ro'dd fy ngwyneb i mor goch â thin babŵn. I weud y gwir, rown i'n edrych fel brawd mawr tew Tonto!

Am yr awr gynta fe fuon ni'n sefyll ar y carped coch, yn ffilmio ambell i sgwrs rhwng y ddau ohonon ni. Yna, buon ni'n tynnu lluniau o'r dorf, o'dd wedi dod i eistedd ar y seddi ar bwys y carped coch ers rhai oriau. Roedden nhw'n disgwyl am y sêr.

Do'dd dim pwysau arnon ni i wneud ein gwaith a gadael yn gyflym, achos o'dd hyn i gyd cyn cyfnod 9/11 ac felly do'dd dim angen lefel uchel o *security* yn ystod y seremoni. Wedi gweud hynny, ro'dd 'na ambell i ddyn anferth yn cerdded o gwmpas yn cadw llygad ar bawb a phopeth – gwneud yn siŵr nad oedd neb yn mynd i wneud rhywbeth dwl, neu greu hafoc yn y lle.

Ar ôl rhyw ddwy awr o ffilmio a chwysu, fe ddechreuon ni roi'r offer recordio 'nôl yn eu bagiau er mwyn cael chwilio am gysgod am gwpwl o oriau, cyn i'r seremoni ddechrau. Fel arfer ryn ni'n gweld yr Osgars yng Nghymru yn ystod oriau mân y bore, ond ma'r noson yn dechrau tua 6 o'r gloch yn Los Angeles.

Cyn i ni adael y carped coch, fe glywais i lais o'r tu cefen i fi'n gweiddi:

–*Mr Clooney! Mr Clooney! Can I have a word, Mr Clooney?*

Edrychais i gyfeiriad y llais a gweld y bachan ifanc 'ma gyda chamera fideo costus yn ei law yn rhedeg ar hyd y carped tuag at Emyr a finnau. Pan gyrhaeddodd e'r man lle rown i'n sefyll, fe gydiodd yn llaw Emyr a'i ysgwyd ffwl pelt.

–*Oh my God, Mr Clooney, I am such a big fan of yours.*

Edrychais i ar Emyr, ac fe edrychodd Emyr arna i ac fe winciodd. Ro'dd y boi bach yn rhedeg gwefan ffilmie a hon o'dd ei gyfle cynta i ddod i'r Osgars. Ar ddiwedd y dydd, byddai'n mynd adre i'w dŷ i olygu pob peth roedd e wedi ei ffilmio ac yna'n eu rhoi ar ei safle er mwyn i bawb gael eu gweld.

Nawr, falle bod e'n fachan eitha *keen*, ond mae'n rhaid i chi amau rhywun sy'n honni ei fod e'n ffan o ffilmie, ac eto'n methu gweld y gwahaniaeth rhwng cyflwynydd teledu Cymraeg ac un o sêr mwya Hollywood. I fod yn deg 'da Emyr, mae e'n fachan golygus ond bydde rhaid bo chi'n weddol feddw i gredu ma

George Clooney yw e.

Ta beth, ro'dd y boi bach wrth ei fodd yn siarad gyda'i arwr, ac rown i'n trial cadw gwyneb syth, yn enwedig gan fod Emyr yn siarad Saesneg 'da'r crwt, a hynny gyda'i acen Saesneg gref Aberteifi. Fe ges i 'nghyflwyno iddo fel rheolwr 'George', ond diolch byth do'dd gan y ffan ddim diddordeb yno i o gwbwl. A dyma'r Spielberg bach yn gofyn beth o'dd y rhan nesa ro'dd e 'Mr Clooney' yn paratoi i'w ffilmio. Edrychodd Emyr arno'n gadarn cyn dweud (yn ei acen tref Aberteifi):

–*Well, my next part is like a Welsh Braveheart. I play a warrior and poet who is fighting for the honour of his country.*

Edrychodd y ffan yn syn ar Emyr:

–*Wow, that's awesome! And did you have to learn to ride horses, and fight with swords?*

Erbyn hyn ro'dd Emyr wrth ei fodd yn chware'i ran fel George Clooney:

–*Oh aye. Good thing. And of course I have to recite Welsh poetry too.*

Ro'dd llygaid y boi bach bron â phopio allan o'i ben. Ro'dd e'n methu credu faint o waith ro'dd 'George' yn barod i'w wneud ar gyfer y rhan. Ac wedyn roeddech chi'n gallu gweld y syniad yn tyfu o fewn ei ben:

–*Could you; I mean would you recite some of this*

Welsh poetry to me? And is it OK if I record it?

Erbyn hyn rown i'n peswch yn dawel, i drial osgoi chwerthin, ond ro'dd Emyr yn ca'l gormod o sbort i roi'r gorau i bethau. Fe gytunodd i gael ei recordio, ac wedyn fe ddechreuodd adrodd,

–Ceffyl yn y stabal, yn cico fel y diawl. Twll ei din e'n winco a'i goc yn twtsha'r llawr! *How's that for you?*

A 'na'i diwedd hi. Ro'n i erbyn hyn yn wherthin nes 'mod i'n wan, ac fe wedes wrth 'George' ei bod hi'n bryd i ni symud 'mlân, gan fod 'na gyfarfod pwysig yn galw. Ro'dd y ffan bach mor browd o gael darn gan George Clooney'n adrodd yn y Gymraeg, 'nath e ddim ein trwblu ni ymhellach. Wrth ffarwelio, fe weiddodd Emyr ar ei ôl e:

–Cadwa'i blân hi'n lân. Gwd thing!

Rhyw awr cyn i'r seremoni ddechrau, fe gethon ni'n rhoi mewn rhyw fath o gorlan fach yn y maes parcio, y tu cefen i'r adeilad. Nawr, i fi ro'dd hyn yn annheg, achos ro'n i'n methu â gweld y carped coch, na'r sêr yn cyrraedd. Dim ond un sgrin deledu o'dd yn y gorlan er mwyn i bawb allu gwylio'r Osgars, ddim cweit mor showbiz ag ro'n i'n ei ddisgwyl.

Ond, fe wnaeth pethau weitho'n lled dda, achos do'dd ein hardal ni ddim ymhell o gatiau cefn y Shrine Auditorium, a dim ond y sêr o'dd eisie cael eu gweld o'dd yn dod ar hyd y carped coch; ro'dd y sêr mawr yn dod drwy'r gatiau cefen, heb fawr o sylw. Oni bai bo fi 'di digwydd edrych i gyfeiriad y gatiau, fydden i ddim callach bod hyn yn digwydd. O fewn pum muned ro'n i wedi gweld Samuel L. Jackson, Salma Hayek (ddim mor bert ag ro'n i'n ei ddisgwyl, 'chmod, medde fi, Brad Pitt, myn yffarn i), Denzel Washington, a Jack Nicholson. Er, i fod yn deg, car Jack Nicholson weles i, ond ro'dd e yn y car, felly, mae hynny'n cyfri mor belled â dw i yn y cwestiwn.

Ac wedyn weles i HI! Chi'n gwbod fel ma pobol yn sôn am weld angylion a bod nhw'n bethau rhyfeddol o brydferth, gyda rhyw fath o aura aur o'u cwmpas? Wel, 'na'n gwmws oedd y profiad ges i o weld Cameron Diaz yn cerdded o fewn pum troedfedd i'r man lle ro'n i'n sefyll. Hyd heddiw dw i'n cofio'n gwmws y ffrog ro'dd hi'n ei gwisgo; y colur o'dd ar ei gwyneb hi; y gemwaith rownd ei gwddwg hi; popeth. A wedyn fe wenodd hi arna i. Fe wenodd HI arna i!! Ac am y deg muned nesa, ro'n i'n methu siarad â neb, yn methu symud.

Ro'n i'n dipyn o ffan o Cameron cyn y diwrnod hwnnw. Ers ei gweld hi yn y cnawd, dw i 'di cwmpo ben a chlustiau mewn cariad 'da'r fenyw. A rhyw ddydd, fan yna, yn fy sedd, yn Los Angeles y bydda i'n clapo fel peth gwyllt pan fydd hi Cameron Diaz-Slaymaker yn derbyn ei Oscar cynta. Wel, mae'n iawn i ddyn freuddwydio, on'd yw hi?

Fe ddechreuodd y seremoni ychydig yn hwyr, gyda Billy Crystal yn arwain y noson. Ro'dd 'na ambell i wyneb cyfarwydd yn dal i ddod drwy'r gatiau cefn, ond erbyn hyn ro'dd pawb yn gwylio'r sgrin fach, wel pawb heblaw amdana i. Ro'n i wedi camu tu allan i'r gorlan i gael mwgyn, ac yn pwyso'n hamddenol yn erbyn y ffens, a fy Marlboro Light yn fy llaw. Wrth sefyll fan 'na'n canmol fy lwc, fe weles fenyw bert yn camu lan yr hewl tuag ata i. Gwallt wedi'i liwio'n goch, ac wedi'i adeiladu mewn bynsen egsotig ar dop ei phen. Ro'dd hi'n gwisgo ffrog ryfeddol. Ro'dd hi'r peth mwya anhygoel ro'n i wedi'i weld o ran gwisg gyda *plunging neckline* – i weud y gwir, ro'dd y ffrog ar agor hyd at ei botwm bol hi. Ro'dd e'n weddol amlwg 'fyd fod hi ddim yn gwisgo bra. (Mae'n syndod fel mae'n oeri gyda'r nos yn Los Angeles; os chi'n deall be s'da fi.)

Wel, fe lwyddes i dynnu'n llygaid bant o'i *chest* hi cyn iddi hi sylwi 'mod i'n pipo. Wrth iddi gerdded heibio fe wenodd arna i a gweud, – *Hi there*.

Nawr, dw i ddim ishe rhoi'r argraff 'mod i'n

lowt llwyr, na dim byd felly, ond dw i'n addo i chi, ma'r unig beth allen i feddwl fel ateb i weud 'nôl wrthi oedd – *All right, luv*?

Dyw 'soffistigedig' ddim yn air dw i'n gyfarwydd ag e, fel gallwch chi ei ddychmygu.

Ond ma 'na waeth i ddod. Chwarter awr yn ddiweddarach, ro'dd yr un *stunner* o fenyw'n camu ar lwyfan yr Osgars i gyflwyno rhyw wobr arbennig – a dyna pryd sylweddolais i 'mod i newydd weud 'olreit lyf' wrth Charlize Theron!

Ro'dd y seremoni wedi bod yn symud yn esmwyth ers hanner awr pan wnes i ddigwydd gweld car bach yn aros wrth gatiau gwaelod yr adeilad, ac yn parcio'n hamddenol. O ran ei olwg, ro'dd y car yn edrych yn debyg i hen Ford Escort o'r 80au – paent yn dechrau pilo, ac ambell i smotyn o rwd arno fe hefyd. Agorodd drws y car, ac fe gamodd y dyn tal main hyn allan ohono – ro'dd e'n gwisgo tuxedo. Y peth cynta aeth drwy'n meddwl i oedd bod hwn yn un o'r bobol yna sy'n cael eu cyflogi i eistedd yn sedd rhyw seren pan mae e neu hi'n gorfod mynd i'r tŷ bach – *seat fillers*, fel maen nhw'n cael eu galw yn Hollywood. Ond wrth iddo gerdded yn hamddenol i fyny'r hewl, ro'dd 'na rywbeth ambiti'r dyn o'dd yn gyfarwydd iawn a llai na channllath o ble rown i'n sefyll, fe sylweddolais i mai Clint Eastwood oedd yn cerdded tuag ata i.

I fi, ma Clint Eastwood yn un o wir sêr y sgrin fawr, a dw i 'di bod yn ei addoli fe fel actor, a chyfarwyddwr, ers i fi weld y ffilm *A Fistful of Dollars* pan own i'n rhyw ddeuddeg mlwydd oed. Fe neidies dros y ffens o'dd o gwmpas y gorlan, a rhuthro tuag ato. Rown i'n estyn fy llaw i ysgwyd ei law e, a dw i'n dal yn galler clywed 'yn hunan yn bablo fel idiot wrth fynd tuag ato:

–JustwantedtosayMrEastwoodIloveyourwork fromtheSergioLeonewesternsthroughto*Bird*and *Unforgiven*and*PaleRider*ohandthe*DirtyHarry*film sandthesoundtracksyouvewrittenforfilmslike *Unforgiven*and*PlayMistyForMe* ac yn y blaen, ac yn y blaen.

Dw i ddim yn cofio pryd stopes i siarad, ond erbyn hyn ro'dd Clint wedi cydio yn fy llaw a'i hysgwyd hi'n gyfeillgar. Fe ddywedodd diolch wrtha i am fod â chymaint o ddiddordeb yn ei waith. Wedyn ro'dd yn rhaid iddo fe fynd i'w sedd. Wafodd unwaith cyn troi am ddrysau mawr y Shrine, a chyn iddo fe fynd o'r golwg, dw i'n cofio gweiddi ar ei ôl e:

–*Oh, and if you see Charlize, will you tell her I'm sorry!*

Diolch byth, wnaeth e ddim clywed y llinell ddiwetha 'na, a bant ag e. Rhyngoch chi a fi, 'nes i ddim 'molchi'n llaw dde am wythnos ar ôl cwrdd â'r 'dyn heb ddim enw'.

Ar ddiwedd y noson fe fethodd *Solomon a Gaenor* ag ennill yr Oscar, ond fuodd hi'n noswaith dda iawn i'r ffilm *American Beauty*. Roedd yr enillwyr i gyd yn sefyll o flaen yr adeilad, yn gafael yn eu Osgars, ac yn ddigon hapus i siarad 'da'r criwiau ffilmio oedd yn mynd o gwmpas. Llwyddodd Emyr i gael gair gyda Angelina Jolie, oedd wedi ennill yr Oscar am *Best Supporting Actress* am ei rôl yn y pictiwr *Girl Interrupted*. Ro'dd hi'n weddol amlwg o'r muned y dechreuodd Emyr siarad gyda hi ei bod hi'n lico'i olwg e ond diawl, o'dd y boi'n edrych fel George Clooney! Ro'dd hi'n holi o'dd Emyr yn mynd i un o'r partïon ar ôl y seremoni, ac yn gobeitho'i weld e 'na. Tra bod y ddau ohonyn nhw'n cael sgwrs fach bersonol, fe es i am wâc o gwmpas y lle i weld allen i weld rhywun enwog – dim bod hynny'n rhy anodd ar noson yr Osgars.

Cyn bo hir rown i'n rhwbio ysgwyddau gyda chewri Hollywood; yn sefyll o fewn cwpwl o droedfeddi i Kevin Spacey, Michael Mann, Haley Joel Osment (jiw un fach, fach yw hi), a Tom Cruise (jiw, o'dd e hyd yn oed yn llai na hi). Ac o'r holl sêr mawr 'ma i gyd, y person 'nes i ei longyfarch gynta oedd M. Night Shyamalan;

roedd e wedi cael ei enwebu ar gyfer *Best Director* am ei ffilm anhygoel, *The Sixth Sense*. 'Nes i weud wrtho fe 'mod i wedi cael fy nal yn llwyr gan y twist yn niwedd y ffilm, a 'mod i'n edrych ymlaen yn fawr at weld ei waith nesa ac fe wedodd bod e ar fin cychwyn ar ei ail bictiwr – stori am *super hero* yn y byd go iawn. Wel, fel ffan o gomics fel *Batman* a *Spider-Man*, ro'n i'n methu aros i weld hon; a hyd heddiw dw i'n dal yn barnu mai ail bictiwr M. Night, *Unbreakable*, yw ei waith gorau ar y sgrin fawr.

Ac wrth i bobol ddechrau symud yn ara deg am y partïon, fe weles un arall o'n arwyr i'n sefyll ar ei ben ei hunan, a'i Osgar yn ei law. Ro'dd Michael Caine newydd ennill fel *Best Supporting Actor* am ei waith yn *The Cider House Rules*, ac os dw i'n cofio'n iawn ro'dd e wedi cael ei wneud yn farchog yn gynharach yn y flwyddyn. Draw â fi:

–*Congratulations, Sir Michael. Matching pair now then* (i fynd 'da'r un enillodd e am *Hannah and Her Sisters* rai blynyddoedd yn gynt).

–*Thanks, son. Now where's that accent from, eh?*

–*Wales; I live in Cardiff.*

Edrychodd arna i gyda gwên fawr ar ei wyneb:

–*Cor, you bloody Taffys get everywhere!*

–*Well*, medde fi, *I thought you'd be used to that after Zulu!*

Ac wedyn fe ddales fy anadl. O' chi fod siarad gyda seren Hollywood fel hyn? Yn enwedig un o'dd bellach yn 'Sir Michael'? Ro'dd yr eiliade'n teimlo fel munude, ond fe edrychodd arna i a chwerthin.

–*Very good, son. Very good.*

Ac i ffwrdd â fe, dim 'mod i'n ei feio fe, cofiwch.

Fe orffennon ni recordio'n eitemau a chyrraedd 'nôl i'r gwesty tua un y bore. Ro'dd rhai o griw *Solomon a Gaenor* wedi'n gwahodd ni i 'bash' yn eu stafelloedd nhw, ond ro'dd pob un ohonon ni wedi blino'n lân, ac ro'dd gwely'n swno fel y syniad perffaith.

Dw i ddim yn gwbod os ca i fyth fynd i'r Osgars eto, a gyda phopeth sy wedi digwydd ers 9/11, dw i'n amau a fydden i'n cael yr un rhyddid i siarad gyda'r sêr mawr fel y gwnes i'r noswaith honno. Ond, bydd yr atgofion o ysgwyd llaw 'da Clint, gwneud ffŵl o'n hunan o flaen Charlize, a sefyll fel llo o flaen Cameron yn aros gyda fi am byth. Er, dyw Ms Diaz heb drial cysylltu â fi unwaith ers y noswaith honno chwaith. Blydi menwod, eh?

6: GÊM O DDAU HANNER

FEL BACHAN O ARDAL Llambed, rygbi oedd y gêm fawr yn ein cylch ni. I ddweud y gwir, ro'dd clwb rygbi Llanbedr Pont Steffan yn un o'r clybie cynta i ffurfio'r hyn ry'n ni heddi'n ei alw'n Undeb Rygbi Cymru, neu'r WRU, neu fel ma sawl un yn hoff o'u galw nhw, *waste of bloody space*.

Fe fues i'n chwarae rygbi yn yr ysgol, ac yn gwylio tîm y dre ar y Sadwrn am flynyddoedd. Ac er 'mod i'n gefnogwr brwd o'r tîm cenedlaethol, rhyw ffordd neu'i gilydd, dw i jyst yn ffindio bod mwy o hwyl i'w gael mewn gwylio pêl-droed – oni bai bo chi'n dilyn tîm John Toshack ar hyn o bryd. Sdim llawer o achos dathlu gyda'n tîm pêl-droed cenedlaethol y dyddie 'ma.

Pan ysgrifennais fy nofel gynta, ro'dd hi'n stori wedi ei lleoli o gwmpas ardal Llambed, ac yn sôn am dîm pêl-droed. A'r cwestiwn ro'dd pawb yn ei ofyn – pam dewis comedi am bêl-droed yng ngorllewin Cymru, yn hytrach na rygbi?

Wel, ma'r ateb yn ddigon syml: dw i'n bwdwr! Dim ond un ar ddeg chwaraewr sydd mewn tîm pêl-droed, ac ma 'na bymtheg mewn tîm rygbi; felly, dyw hi ddim yn cymryd Einstein i sylwi bod llai o waith sgrifennu comedi am bêl-droed.

Ond, ma comedi am rygbi'n fwy tebygol o ddigwydd oddi ar y cae, gyda'r cefnogwyr ac aelodau'r 'comiti' – d'os ond rhaid i chi wylio'r clasur *Grand Slam* i weld fel ma hiwmor rygbi'n gweithio ar ei orau.

Gyda pêl-droed gallwch chi fynd â'r hiwmor o'r cae, i'r ystafell newid, a hyd yn oed 'nôl i gartrefi'r chwaraewyr, fel mae *C'mon Midffîld* wedi dangos. Felly, ro'dd pêl-droed yn cynnig mwy o ryddid fel pwnc a dw i'n dal yn teimlo bod hynny'n wir am y gêm hefyd.

Rown i'n rhyw ddeg mlwydd oed yn gweld fy ngêm bêl-droed gynta lan yn Llundain. Aros gyda ffrindiau i'r teulu, a'r dynion i gyd yn penderfynu mynd am brynhawn i Loftus Road, er mwyn gwylio Queen's Park Rangers yn erbyn Chelsea, os dw i'n cofio'n iawn. D'os ddim llawer o gof 'da fi am y gêm, ond dw i'n cofio mwynhau'r sŵn, y cyffro, a'r teimlad bo fi'n rhan o un parti mawr. Ro'dd ca'l cyfle i weld bois fel Stan Bowles, Jerry Francis a Dave Thomas yn carlamu ar hyd y cae yn tipyn o brofiad hefyd er, i unrhyw un sy'n cofio Stan Bowles fel chwaraewr, bach iawn o garlamu fydde fe'n ei wneud.

Ar ôl cyfnod yn dilyn QPR, pan gyrhaeddais fy un ar bymtheg, Newcastle o'dd y tîm i fi – mwy na thebyg oherwydd bod Malcolm Macdonald yn chwarae ar ei orau y dyddiau hynny. Hyd yn oed heddiw, dw i'n cadw llygad mas am gêmau'r Toon, a dw i wedi ca'l y cyfle i fynd i St James's Park unwaith neu ddwy, ac addoli'r Duw sy'n cael ei nabod fel Shearer! Shearer! Shearer! – sori, dw i'n dal heb allu peidio â gneud 'na hyd heddi.

Pan symudes i fyw i Gaerdydd ym 1986, ro'dd e'n gwneud synnwyr wedyn i ddilyn tîm y brifddinas, ac fe fues i'n mynd i weld ambell gêm gartre am flynyddoedd cyn penderfynu cael tocyn tymor o'r diwedd. Ma dilyn y Bluebirds fel gwisgo bathodyn sy'n profi eich bod chi'n derbyn y gorau a'r gwaetha mewn bywyd. Dros y blynyddoedd, dw i 'di teimlo'r balchder a'r hapusrwydd o'n gweld ni'n trechu timoedd da. Hefyd dw i 'di cael y teimlad ofnadwy 'na, yng ngwaelod fy stumog, wrth ein gweld ni'n colli i dimoedd gwael. Ac 'yn ni hefyd wedi dod i arfer â'r tîm yn symud drwy'r *league tables* yn gyson. Ar un adeg, ro'dd Caerdydd yn mynd lan a lawr yn amlach na dillad isha hwren!

O bryd i'w gilydd ma rhywun yn gofyn i fi fod yn was priodas, ac fel arfer, pan fo 'na lot o bobol ddi-Gymraeg yn rhan o'r diwrnod, fe fydda i'n hoff iawn o ddefnyddio un llinell, sydd wastod yn dala sylw'r ffans pêl-droed yn y briodas. Hyd yn hyn dim ond yn Saesneg dw i 'di ei defnyddio hi, felly maddeuwch i fi am ddefnyddio'r iaith fain fan hyn:

–I am always impressed, not to say stunned, whenever any friend of mine takes that big step into married life... because, being a long-standing Cardiff City supporter, I'm just not used to this level of commitment.

Damo, bydd rhaid i fi feddwl am linell newydd nawr, gan fod honna bellach mewn print!

Ond ma clwb Caerdydd a fi wedi bod yn ffrindie, yn elynion, yn bartners, yn gariadon, ac ar adegau 'yn ni heb siarad 'da'n gilydd am sbel. A dyna beth yw bod yn gefnogwr tîm pêl-droed. Yn enwedig, os ody'ch tîm chi y tu allan i'r *Premiership* – wedi'r cyfan, dyw pobol sy'n dilyn y *Champagne Charlies* fel Chelsea, Man Utd ac Arsenal ddim yn gallu deall y profiad 'na o eistedd yn y glaw yn gwylio'ch tîm yn cael ei guro, reit ar ddiwedd y gêm, gyda ffliwc o gôl gan Walsall, er enghraifft – y diawled lwcus!

Ar un adeg, pan fydda i angen ffilmio rhyw eitem ar gyfer rhaglen *Slaymaker* ar ddydd Sadwrn, fe fydden i'n gwneud yn siŵr bod y ffilmio'n digwydd o fewn cyrraedd i Gaerdydd, a bydden i'n dechrau'r gwaith yn gynnar. A do'dd ddim amser am fod yn glyfar, nac yn ffansi gyda'r gwaith camera; jyst pwyntio'r dam camera at y cyflwynydd, sef fi, a thrio cael e'n iawn mewn un take. Os o'dd ambell i eitem ar *Slaymaker* i'w weld braidd yn fyr, neu hyd yn oed ychydig bach yn shabi yr olwg, arna i roedd y bai am hynny, sori. Ond fel bydden i'n gweud wrth y criw ffilmio, saethwch chi beth chi ishe, dim ond bo chi'n neud yn siŵr 'mod i yn fy nghadair ar y *bob bank* erbyn deg muned i dri y prynhawn, bydd popeth yn iawn.

Dw i wedi sôn 'mod i'n cefnogi tîm rygbi cenedlaethol Cymru yn barod. Ar y diwrnod mawr 'na 'nôl ym Mawrth 2005, pan guron ni Iwerddon i ennill y Gamp Lawn am y tro cynta ers blynyddoedd maith, ro'dd gêm gatre 'da Caerdydd ar yr un diwrnod. Dw i'n credu ma Crystal Palace o'dd yn chwarae ond dw i'm yn hollol siŵr. Felly, y deilema o'dd, i gadw draw o'r yfed *pre-match* a mynd i weld y Bluebirds, neu roi'r tocyn i ffrind, a mynd ar y pop – fel ro'dd bron pawb arall drwy Gymru yn 'i wneud y diwrnod 'ny. Ro'dd 'da fi docyn i weld gêm Cymru gyda llaw, felly rown i bownd o weld un gêm dda y prynhawn hwnnw.

Ta beth, gweld Caerdydd o'dd y dewis yn y diwedd, a gêm gyfartal o'dd hi – gôl yr un. Ac wedyn dath y sioc o wbod mai ond ychydig dros chwarter awr o'dd 'da fi i ruthro o'n sedd ym

Mharc Ninian, a chyrraedd y sedd yn Stadiwm y Mileniwm. Dyw gweld boi mawr yn rhedeg byth yn olygfa bert, ac wrth feddwl bod rhaid i fi osgoi bwrw i mewn i gefnogwyr meddw, o'dd hefyd ar ras i gyrraedd y gêm, ddim yn helpu'r achos. Ond fe gyrhaeddais mewn pryd. A dweud y gwir, ro'dd yr amseru'n berffaith, achos ro'n i'n cymryd fy lle jyst wrth i Max Boyce adael y cae. Bydde gorfod eistedd a diodde fersiwn newydd sbon arall o 'Hymns & Arias' wedi bod yn ormod, ar ôl y ras wyllt i'r maes.

Y tro arall sy'n aros yn y cof fel prynhawn lle ro'dd rhaid i fi adael Parc Ninian er mwyn rhuthro bant i rywle arall oedd diwrnod Baftas Cymru, 2005. Ro'dd y noswaith yn dechrau tua 6 o'r gloch; tipyn o waith gwobrwyo i'w wneud, yn amlwg. Ro'n i fod i gwrdd â'r bobol roddodd wahoddiad i fi, rhyw awr yn gynt, am cocktails neu sawl peint o lager, i fod yn gwbwl onest. Wrth gwrs, ro'dd hynny'n golygu colli diwedd gêm Caerdydd; ac wrth feddwl am y peth, rown i'n dechrau amau y bydden i'n gorfod colli'r ail hanner i gyd. Ma noson y Baftas wastod yn un o'r adegau *black tie* 'na, felly ro'dd gofyn edrych yn smart ac os 'ych chi wedi'n ngweld i ar y teledu, fyddwch chi'n gwbod nag yw 'smart' yn un o'r geirie gallech chi ei ddefnyddio i 'nisgrifio i.

Yn y diwedd, yr unig beth i'w wneud oedd gwisgo'r siwt ddu yn gynnar yn y dydd, a mynd lawr i Barc Ninian yn y tuxedo i weld y gêm. Dim y syniad calla, wrth feddwl yn ôl, gan fod pob blydi comedian yn y lle yn hapus iawn i wneud sbort o'r bachan yn y 'dici bow' oedd yn eistedd ar y *bob bank*.

–*Oi, James Bond, how d'you like your Bovril? Shaken or stirred?*

–*Who let Pavarotti into the ground?*

–*Waiter, when will our table be ready?*

Ath hi 'mlan fel hyn drwy gydol y gêm, a do'dd dim pwynt ymateb – dim ond neud pethe'n waeth bydde hynny. Ond o leia ges i linell i mewn yn erbyn un cymeriad:

–*Nice suit, mate; buying the club off Sam is you?*

Atebais i'n syth:

–*If I was buying this club, I'd be wearing a bloody clown suit, bra'.*

Eto, wrth edrych yn ôl, dim y peth calla o'dd gwneud sbort am ben fy nhîm fy hunan, a finne wedi gwisgo fel pengwin o flaen pawb.

Ta beth, fe adewais rhyw bum muned cyn y diwedd er mwyn osgoi'r dorf, a mwy o jôcs creulon, a llwyddes i neidio i mewn i dacsi o fewn chwarter milltir i'r maes – un peth da ambiti gwisgo tuxedo, ma'r gyrwyr tacsis yn fwy parod i'ch codi chi na fydden nhw fel arfer.

Bant ar garlam wedyn lawr i sinema Cineworld lle roedd pawb wedi dechrau partïo'n barod ar y llawr ucha, a pan wedes i 'mod i newydd fod yn gwylio Caerdydd ym Mharc Ninian, yn y siwt, fe ddechreuodd y jôcs unwaith eto. Rhyw ddydd fe ddysga i 'ngwers a chau 'ngheg, ond bydd 'na flynyddoedd eto cyn i hynny ddigwydd, ma arna i ofon.

Ar ôl cal ambell ddiod, ro'dd hi'n bryd croesi'r ffordd i'r Cardiff International Arena ar gyfer y noson wobrwyo, ac wrth weud helô wrth rywun, fe aeth y criw o 'mlaen i, i mewn i'r adeilad. Dim problem, ro'dd gen i docyn, ond wrth gwrs nawr bo fi allan o ganol y crowd, 'rown i wedyn yn darged i'r criwiau ffilmio oedd o gwmpas blaen y neuadd. Cyn bo fi'n cael amser i wybod beth oedd yn digwydd, dyma rywun yn gafael yn 'y mraich i, a'r peth nesa dyma'r cyflwynydd teledu, Josie Darby, yn gwthio meicroffon o 'mlaen i. O beth dw i'n ddeall, un o'r tîm ffilmio wedodd wrthi am afael yno i, gan y byddwn i'n debygol o ddweud rhywbeth 'doniol'. Dim pwysau fynna te! Ofynnodd Josie'n neis:

–*Gary Slaymaker, who do you think will win tonight?*

Edrych ar Josie gyda gwên ar fy ngwyneb, cyn ateb:

–Well, City won 2–0 this afternoon, Josie, so I don't bloody care much who wins tonight.

A gyda hynny, fe ddiflannais i mewn i'r neuadd i chwilio am fy ffrindiau.

Ond, dw i 'di cadw'r stori sy'n dangos fy obsesiwn i am y Bluebirds tan y diwedd. Fyddwch chi, fenwod, yn meddwl 'mod i'n idiot llwyr pan ddarllenwch chi'r darn nesa 'ma, a dw i'n siŵr bydd rhai o'r dynion yn teimlo'r un fath. Ond, os ga i apelio at y cefnogwyr pêl-droed sy'n darllen y darn 'ma – chi'n deall beth yw'r gwendid 'na sy'n neud i ddyn actio fel ffŵl, pan ddaw hi'n fater o bêl-droed. Ta beth, dyma hi a gobeitho bydd hi'n wers i rai ohonoch chi hefyd.

Rai blynyddoedd yn ôl, rown i'n mynd allan 'da'r ferch 'ma. O'dd y ddau ohonon ni wedi bod yn dod 'mlan yn dda am fisoedd, ac yn mwynhau bod yng nghwmni'n gilydd. I ddangos i chi pa mor arbennig o'dd hi, ro'dd hi hyd yn oed yn deall yr obsesiwn hyn o'dd 'da fi am Cardiff City. Do'dd hi ddim yn or-hoff o'r peth, ond fe fydde hi'n ddigon hapus i adael i fi fynd i'r gêmau cartre – dim ond i fi beidio â mynd allan i yfed yn ddwl ar ôl 'ny.

Wel fe ddaeth hi'n dymor newydd, ac ro'dd Caerdydd yn chwarae oddi cartre yn erbyn Crewe Alexandra – tîm o'n ni fel arfer yn eu curo, gatre, ac i ffwrdd. Ond gan taw gêm yng ngwlad y Sais oedd hon, o'n i wedi trefnu mynd allan am ddiwrnod o siopa gyda'r 'misys' ar y Sadwrn. Neu dyna o'dd y syniad, nes bo fi'n ca'l galwad ar y nos Wener gan ffrind oedd â tocyn sbâr i'r gêm. Wel, o'n i'n ddiolchgar am y cynnig, ond o'dd hi'n dal yn dipyn o strach i gyrraedd Crewe i rywun oedd ddim yn gyrru. Dim problem, medde fe, ro'dd e'n mynd â'i gar, ac ro'dd 'na groeso i fi gael lifft. Perffaith!

Dim ond un broblem fach oedd ar ôl nawr, dweud wrtho 'madam' na fydden i'n galler dod i siopa wedi'r cyfan. Felly, dyma'i galw hi'n syth ar ôl siarad 'da'n ffrind, ac esbonio bod jobyn o waith wedi glanio, muned ola.

–Sori, sori, sori, calon, ond alla i ddim troi lawr arian cystal â hyn. Wy'n addo, wna i wneud lan am bopeth nos fory, ok?

Whare teg iddi, fe wnaeth hi ddeall yn iawn, a drefnon ni gwrdd nos Sadwrn mewn bwyty yng Nghaerdydd.

Enillodd y Bluebirds o ddwy gôl i ddim ar y Sadwrn, ac ro'dd y pedwar ohonon ni 'naeth drafaelu fyny 'da'n gilydd mewn hwyliau arbennig am weddill y dydd. Cyrraedd 'nôl i Gaerdydd, a mas ar y pop wedyn. Ac am hanner awr wedi naw, fe gofiais yn sydyn 'mod i'n cyfarfod â'r cariad ochor arall y dre, bron â bod. Naid i mewn i dacsi, a rhuthro ar draws y ddinas.

Cyrraedd y tŷ bwyta, a charlamu drwy'r drysau a'i gweld hi'n eistedd wrth y bar, yn edrych yn ddigon cysurus. Cerddais draw ati gan wenu:

–Ddim yn hwyr, ydw i, lyfli?

Pan droiodd hi rownd yn ei chadair i edrych arna i fe aeth y wên o'i gwyneb yn weddol gyflym, wrth iddi gymryd golwg dda arna i. Rown i'n sefyll fyn'na mewn pâr o drowsus denim gyda sgarff CCFC yn hongian o'r boced ôl, a hefyd rown i'n gwisgo 'nghrys Cardiff City, rhif 10, gyda EARNSHAW wedi'i sgrifennu ar y cefn. Damo, nes i ddim meddwl unwaith am fynd adre i newid. Edrychodd hi'n oeraidd arna i:

–Diwrnod caled o waith, o'dd e?

Wel, do'dd dim pwynt gweud celwydd bellach, ac fe hales i'r munudau nesa'n gweud sori, ac addo fydden i ddim yn neud rhywbeth mor dan din byth eto. Ac wedyn fe ddath hi allan 'da'r linell:

–Blydi hel, Gary, wyt ti'n meddwl mwy o Cardiff City nag wyt ti'n meddwl ohona i!

A fan hyn aeth pethe'n kaput, achos yn hytrach na gweud sori eto, fe ddes i 'nôl gyda'r frawddeg:

–Good God, bach, dw i'n meddwl mwy o Carmarthen Town na dw i'n meddwl ohonot ti.

'Dyn ni heb weld ein gilydd ers 'ny.